平凡社新書
1035

「我がまち」からの地方創生

分散型社会の生き方改革

石破茂
ISHIBA SHIGERU
神山典士
KŌYAMA NORIO

HEIBONSHA

「我がまち」からの地方創生●目次

プロローグ——アフターコロナで見えてきたもの

石破茂

私たちは何を学んだのか？

うーーーーん。

そのとき私（石破茂）は、思わず天を仰いでしまいました。

本書執筆に関する取材で、共著者の神山典士氏と話していたときに、こう問われたからです。

――今回二〇二〇年から約三年間、かつてないコロナ禍を経験したことで日本人の意識は東京一極集中から地方分散へと大きく変わったのでしょうか？　コロナ禍で私たちは何を学んだのでしょうか？　石破さんは二三年春の地方選挙で地方を回ってこられて、地方のまちではその変化の手応えは何かありましたか？

そう問われて、どう答えたらいいものか、言葉に詰まってしまったのです。

二〇二〇年一月、横浜に停泊する豪華客船ダイヤモンド・プリンセス号から新型コロナウイルス罹患者が発生し、日本中がパンデミックの恐怖を感じて以降、多くの人々の間で「人口が過密な東京にはいたくない」、「リモートワークができるなら地方に引っ越したい」

という「地方分散」の動きが生まれたことは確かでした。

東京都の発表によれば、コロナ禍前には都の人口の対前月比増減数はプラス約三万人程度で推移していましたが、コロナ禍が広がるにつれてこの数字は急降下。二〇年七月にはマイナスとなり、二二年になっても春先を除けばマイナスのままでした。二〇年と二一年には転出者数は約四〇年ぶりに四〇万人を超え、転入者―転出者数でも二一年は過去最少の五四三三人へ。二三区の特別区では、なんと転出超過を記録したのです。

この数字を見て、東京の過密人口（一極集中）が地方に分散していくきっかけとなるのではないか。この流れを加速できれば、人口急減をはじめとする多くの課題を地方が主体となって解決できるようになるのではないか、と私も思っていました。

ところが二〇二三年一月、政府が新型コロナウイルス感染症の取り扱いを二類相当から五類相当に移行することを発表してから、世の中の空気は一気に「アフターコロナ」に転換しました。私が地方選挙の応援で全国を回った二三年の春には、新幹線も飛行機も満席。夜の繁華街もコロナ禍前のような賑わいになったのです。

もちろん経済活動の再開は、歓迎すべきことです。私が議員連盟の会長を務めているエンタテインメントの世界を含め、飲食業や観光業などは、人々の動きが戻るのをどれほど待ち望んだことでしょう。

けれどこの現況において、「コロナ禍で日本人は何を学んだのか？」と問われても、「うーん」と首を傾げてしまいます。「喉元過ぎれば熱さ忘れる」と言いますが、私たちはコロナ禍について「あー、きつい三年間だった」と思うだけで、そこでの経験や教訓などすぐに忘れてしまうのではないか。世の中は地方分散より東京一極集中の流れに戻り、地方創生は振り出しに戻るのではないか――。そう思えてしまうのです。

コロナで生まれた「希望の点」

もちろん大企業を中心に、リモートワークの流れができたことはコロナ禍での大きな変化でした。当時の安倍政権が進めていた「働き方改革」とも相まって、満員電車なしのリモートワークが一気に広まりました。企業によっては、今後は居住制限なし、全国どこに住んでも出社は出張扱いにする、というところも生まれました。「転職なき移住」は一つのムーブメントとなり、栃木県・静岡県・山梨県・茨城県・埼玉県といった「都会から一・五〜二時間圏内」では、これまで以上に移住者や二拠点生活者が増えました。

また全国を見渡せば、コロナ禍というピンチをチャンスととらえて「女性が働きやすいまち」を目指してリモートワークの講習を行ったり、廃校をリノベーションしてサテライトオフィスをつくり、若者に人気のＩＴ企業や広告業等の企業の誘致に成功したところもあります。

このように、地方を活性化する「光明」はいくつもあるのですが、そういう「希望の点」が「線」や「面」にはなっていない。圧倒的多数のいわゆるサラリーマンのみなさんはリモートワークになっても首都圏に居住しており、たとえば東北エリア、中国エリア、四国エリアに住んで東京在住者と同じ働き方をするという人が激増したわけではありません。若者を呼び込むためにさまざまな政策を駆使してがんばっている自治体はいくつもあるけれど、やっていないところは何もやっていない。トータルで見れば、日本全国を変える動きには至っていない。

それが二〇二三年現在の日本の現状だと、私は感じています。

地方創生の本質は？

とはいえ、そうであるからこそ、私には見えてきたものもあります。

それは、本書のテーマでもある「地方創生の本質、真髄は何か」ということです。

確かにコロナ禍があり、中央政府も、都道府県や市町村の地方自治体も、その対応で必死になり、教訓として社会のしくみそのものを変えなければならない、ということに気づいた面があると思います。

けれど地方創生の本質は、そんな「上から・中央からの改革」ではできない、ということがかなり明確になったのではないでしょうか。必要なのは、国民一人一人が「我がまち」の未来を真剣に考え、自らつくっていくことです。急激な人口減少と高齢化、中心市街地の衰退、若者の故郷離れといった具体的な問題に対して、中央で一律の政策をつくっても、その解決策は地域によって千差万別なのです。そうであれば、地元の人々が一丸となって「我がまち」の未来に主体的に取り組まなければ、正しい解決策を見出すことはできません。二〇一四年に生まれた「地方創生」の取り組みが、一九年に第二期を迎え、コロナ禍を経たいま、いくつもの「希望の点」を、私たち自身がどう「線」にし、「面」にしていくのか。「我がまち」の「本気度」が改めて問われているのです。

そしてそれこそが、コロナ禍を経た私たちが学んだ最大の経験なのだと、私には思えるのです。

我が故郷鳥取では

では、私にとっての「我がまち」である鳥取県はいま、どうなっているのでしょうか。二〇二三年一月にこんなニュースが流れました。

――鳥取県の二〇二二年の推計出生数が三七九二人と、二一年の確定数より二・三％（八四人）増となったことが、厚生労働省の計算式を用いた算出で明らかになった。増加が確定すれば、七年ぶりとなる。この計算式によると、全国の出生数は三万九〇九七人（四・八％）減の七七万二五二五人となり、八〇万人を大きく割り込むと推定される。全四七都道府県で鳥取県が唯一、増加となる可能性がある。

（中国新聞一月二四日）

さらに同紙によれば、「二一年の県外からの移住者は前年よりも二三三人増えて過去最多。二〇代・三〇代の若者が六八・一％を占めた」との記述もあります。

これまで県内の出生数は六年連続で減少していただけに、平井伸治《ひらいしんじ》知事も「分析が必要だが、新型コロナウイルス禍で大都市よりも自然に恵まれたところ（鳥取県）のほうが安心という感覚が生まれているのでは」と、喜びのコメントを出していました。

私も驚きました。八四人とはいえ、出生数が増加に転じるというのはすごいことです。人口は全都道府県最少の我が県にとって、まさに「希望の点」。全都道府県唯一というところに、胸を張りたい気持ちです。

しかも移住者も増えている。その理由を聞けば、「結婚や子育てのための移住」が全国最高レベルなのだそうです。

なぜ、このような事象が生まれてきたのでしょう。

詳細な分析は今後の精査を待たなければなりませんが、私がヒントになると思っているいくつかの特徴はあります。たとえば、鳥取県は「小児科・産婦人科医院の人口当たりの数が全国ベスト3以内」、「児童館や体育館といった子育てやコミュニティに関わる公共施設の人口当たりの数が全国でダントツ」、「通勤にかかる時間が全国で最短」、「世帯当たりの可処分所得額が全国ベスト10に入る水準」といった特徴を持っている。

これらを総合すると、我が鳥取県は「子どもが産みやすい」、「子育てしやすい」、「時間とお金が比較的自由になる」、「住みやすい県」に変わってきたということは言えるのではないでしょうか。

二〇二三年の春には統一地方選挙があり、鳥取県でも知事選挙と県議会議員選挙が行われました。その応援のときに、私はこのようなデータを聴衆に紹介し、こう語りかけました。

「鳥取を卑下するのはやめましょう。我が故郷を誇りにして、鳥取から日本を変えていきましょう。マインドを変えましょう!!」

ところが、会場からの反応はかなり薄いものでした。

鳥取県民自身がこういったデータを知らない。知っても「へーっ」と言うだけで、誇りに思おうとしない。どうせ鳥取は人口最少で、過疎で、高齢化で、新幹線の走らない日本海側の県でと、ネガティブマインドに閉じこもってしまっている——。

これもまた、全国の地方都市に共通する大きな課題だと思うのです。

県立高校の入試に県内の問題を

『「空気」の研究』（山本七平、文藝春秋、一九七七年）という名著を引くまでもなく、「空気」つまりマインドを変えていくのは、政策を転換するよりも難しいことです。しかしここにも、ヒントとなる事例があります。

それは、宮崎県の南西部の山奥にある人口約四万二〇〇〇人の小さなまち、小林市の事例です。

ユーチューブで「宮崎県小林市」と検索して、小林市公式チャンネル「移住者促進PRムービー〝ンダモシタン小林〟」をみてください。一人のフランス人が登場し、美しい里山の風景をバックに、フランス語で小林市の特徴を語る映像が出てきます。

「この町では蛇口から天然水が出るのだ」

「日本一の星の下になぜかプラネタリウムまで……」

「キャビアの採れるチョウザメを養殖している」

「この町は人の心も美しい」等々。

そしてこのユーチューブのオチは、このフランス人の喋る言葉がフランス語ではなく、実はこの地方の方言「西諸弁《にしもろ》」であったこと。エンディングで「じょじょん、よかとこ、住んみやん」と西諸弁のメッセージが出て、美しい映像は終わります。

そのどんでん返しに感動した私が首長に聞くと、「小林市のいいところを子どもたちに学んでほしいと思って、中学生を中心にこの映像をつくりました」とのことでした。

なるほど、と私は膝を打ちました。

小林市のような小さな地方のまちでは、高校生くらいになると進学や就職のために若者たちは外に出ていきます。大学進学で都会に出て、そのまま大都市に就職し、まちには戻ってこない。それが今日も続く全国の多くの市町村の宿命です。

けれど中学生のころに故郷の素晴らしさ、美しさ、住みやすさを知ってくれたら、将来の彼らの行動も変わるのではないか。いちばんいいのは、社会人になって経験を積んでから故郷に戻って起業してビジネスと雇用をつくってくれることですが、そうでなくても、いまよりもう少し能動的に「関係人口」になってくれるのではないか。故郷の出生数が増えたりしたとき、それを誇りに思って故郷をPRしてくれるような人に育つのではないか。だから私は小林市の事例を知って以降、鳥取でも教育関係者にはこうお願いしています。「県立高校の入試問題に県の歴史や偉人、データに関する問題を出してください。たとえば出生数が全国で何位か、みたいな問題が入試に出れば、子どもたちは鳥取県のことを知り、誇りに思うようになりますから」と。

鳥取で生まれた子どもたちに、折に触れて鳥取のよさを教える取り組みを重ねていくことで、都会に出た若者たちも故郷と繋がっていてくれるようになる。常に故郷が心のどこかにあれば、会社を定年退職してから帰省するのではなく、もっと若いうちに故郷に戻ってきて、故郷再建の担い手になろう、という人も増えるはず。

あと一歩、あと一押しすれば、地方創生の「希望の点」が「線」になり「面」になる予感がします。全国で起きている「地方活性化」のさまざまな活動が、もう一押しで燎原の火のごとく広がっていくのではないか。

我がまち鳥取の変化にはそんな予感があります。だから私は、決して地方創生の今後に絶望してはいないのです。

多種多様な主人公たち

本書には、全国各地で「希望の点」となっている多種多様な主人公（プレイヤー）が登場します。その活動に対して私が感じたこと、日頃考えていることも書き添えました。「我がまち」が「本気」になるためには、このようなプレイヤーが全国各地に多数登場すること。そして地域に住む多くの人々が志を同じくして行動することが不可欠です。

本書の読者のみなさんには、ぜひ「我がまち」を愛し、誇りに思っていただきたい。「私にも、我がまちにもできる」と思っていただき、立ち上がっていただきたい。希望の点が線となり面となるように。「我がまち」が本気になるように。

本書が多くの人々の希望の書になることを祈っています。

二〇二三年初夏

石破茂

第一章

「Will」と「Can」を持つシニア世代の活躍

神山典士

かつて地方創生の現場では、「若者を呼び込め」が合い言葉だった。国が「若者の意識を地方へ振り向ける」ために二〇〇九年から始めた「地域おこし協力隊」も、その七割は二〇代・三〇代が選ばれてきた。

けれど最近では、全国の地方創生の現場でアクティブシニアの活動が目立ってきている。その定義は「Will（これをやりたい）」と「Can（これができる）」を持つ、おおむね五〇歳以上の人たちのこと。

企業の多くは六五歳で定年となるが、健康寿命七〇歳以上、平均寿命八〇歳台、総人口の約五割が六〇歳以上に向かって高齢化が進む日本にあっては、五〇代～七〇代のシニアの力を地方に向けるのは必須課題だ。まさに彼らは経験と人脈と経済力（Can）と、「地方（故郷）を蘇らせたい」という意志（Will）を持っているのだから。

政府もこの動きに敏感に対応し、民間企業で専門スキルや幅広い人脈を持つ人材を地方に振り向ける「シニア地域づくり人」制度を創設したり、日本版CCRC（Continuing Care Retirement Community、大都市から高齢者が移り住んで地域貢献しながら介護時まで安心して住めるコミュニティ）を充実させることにやっきになっている。

ここではそうした動きを先取りして、自ら地域に入り込み、それまでの経験や知見を生かして「地域を蘇らせる活動」を続けている二人（組）を紹介する。一人は故郷の持続可能な再生を目指している。もう一人は仲間とともに縁もゆかりもなかった地域に魅力を見出してそこに通いつめ、エリア全体を「若者たちが戻ってこれる地域」にしようとする。

二人は地域に入ることで生き方、働き方を変えながら、人生の後半をより輝くものにしている。地方創生という大きな課題が、承認欲求と貢献欲求を満たしている。

今後この二人（組）のような生き方を選ぶシニアプレイヤーが、全国に増えていくはずだ。

一　故郷を愛するDNA――大分県竹田市長湯温泉、首藤勝次氏

二人のシニアの「アルベルゴ・ディフーゾ」

ある日のこと。九州の雄峰九重連山に抱かれた大分県竹田市の山里にある長湯温泉で、語りあう二人のシニア男性がいた。

長湯温泉は大分市内からでも車で約一時間半。最寄りのJR「豊後竹田駅」からもバスで約四〇分。「秘湯」と言われても仕方ないロケーションにあって「世界屈指の炭酸泉」と評され、数々のデータを総合した結果「日本一の炭酸泉」をブランドにしている。

近くにある湯布院や黒川温泉のように、高級温泉旅館や土産物屋、レストラン等が並ぶ「観光地」ではない。けれど温泉療養を楽しめ美術館もある文化的な湯治場として人気がある。その集落を見下ろすテラスで、一人のシニアが言った。

「私はここでイタリア発祥のアルベルゴ・ディフーゾをやりたいんです」

語りだしたのは、一九五三年にこの地に生まれ、長湯温泉の老舗旅館「大丸旅館」の五代目オーナー、いまは同グループの会長を務める首藤勝次氏だった。

まもなく古希を迎える首藤氏は、一八〇センチ・メートルを超える長身。地元藍染め作家作のシャツやジャケットに身を包み、お洒落なスカーフも愛用して若々しい。

一方、

「なんですか、それは?」

と問いかけた男は、世界的に有名な建築家の隈研吾氏だった。

隈氏の母方の祖先は、江戸時代にこの地を治めた岡藩の江戸詰の測量士だった。その縁もあり、氏はすでに市長時代の首藤氏の依頼で、竹田市の中心市街地に城下町交流プラザと歴史文化館・由学館の二

故郷長湯温泉にて首藤勝次氏。御前湯を望む

つの作品を建設済みだった。

首藤氏はこう続けた。

「アルベルゴ・ディフーゾとは、地域に生活するように滞在することです。長湯地域全体を宿屋に見立てて、分散型宿泊スタイルができるエリアにしたいんです」

「どうやってやるんですか？」

「すでに地域内の八軒の空き家を手に入れています。人口減少で増え続ける空き家を放置したらこの地域は死滅してしまう。これに最低限の手を入れて、安価で滞在できる宿泊施設にするんです。そこに泊まった人は、風呂は長湯温泉の外湯に入り、朝食はカフェで、夕食は居酒屋や旅館で食べる。あるいは自炊してもいい。つまり地域そのものに泊まる。分散型ホテルです」

「あ、首藤さん、それいいですね。設計は私がやりますよ」

隈氏は首藤氏のアイデアに乗り、その設計を即座に引き受けた。過疎に沈もうとする山間の集落の未来をかけた企みが、二人の間で生まれた瞬間だった。

隈研吾氏をその気にさせた首藤勝次氏の経歴は、まさに地方創生のシンボルプレイヤーと呼ぶに相応しい。

大学時代に父親の死で故郷に戻った氏は、竹田市に合併前の直入《なおいり》町役場の職員として二五年間活躍。その後八年間は県議会議員を務め、一九八〇年代から当時の平松守彦知事が提唱した、地方創生政策の走りとも言われる「一村一品運動」の薫陶を受けた。

その後二〇〇九年から二一年までは合併直後の竹田市の市長を務め、その折々で、後述するようにさまざまな地方活性化策を実践してきた。

いまは市長を勇退して二年になるが、民間の立場でイタリア発祥の「アルベルゴ・ディフーゾ」という考えでの故郷再生を打ち出して、地域再生の最前線に立っている。

まさにこの地域のリーダーとなるシニアプレイヤーだ。

二人は長湯温泉でのこの計画を「小さな小屋プロジェクト」と命名。さまざまに発想を広げて、この地域を持続可能に蘇生させようとしている。

その舞台となる長湯地区は、もちろん全国の地方の例に漏れずに過疎化が進んでいる。かつて四〇〇軒はあった民家は今では一五〇軒余りになった。どこを見ても空き家だらけだ。高齢化も進み、地域を活気づける若手プレイヤーもあまり見かけない。

ところが首藤氏は、そんな故郷の現実を目の当たりにしつつも、自信満々にこう言う。

「私は役場の職員時代から地域活性化の施策をさまざまに行ってきました。だから舞台は整っている。すでに鶏は卵を産んでいるんです。その卵からたくさんのヒナが孵《かえ》るように。ここからの一〇年間は、今まで培ってきた人脈や経験を全てふるさとに投入して、ゆっくり楽しみながらまちの再生に取り組むつもりです」

まさに首藤氏は、「Ｗｉｌｌ」と「Ｃａｎ」を兼ね備えている。行政と政治を経験したあと、民間の立場に戻って地方創生に取り組もうとする。その歩みを振り返ってみよう。

ふるさと創生策の思惑

「地域の自立を促すのは「行政力」、「地域力」、「人間力」。そしてもう一つ大切なのは「経営力」。企画を掛け算しながら、地域をダイナミックに動かしていくことです」

二〇二二年五月一八日、まだコロナ禍があけきらない中で、首藤氏の姿は東京・日本橋にあった。

「一般財団法人地域活性化センター」が主催した行政マン対象の勉強会の講師を務めたの

だ。首藤氏はこの団体の顧問として、年に数回、さまざまな場所で全国の「後輩」たちに約半世紀に渡る地方創生活動の体験談を語っている。

その中で何度も語ったのは「行政力」だった。こんな例を出して語り始めた。

「竹下内閣のときに全国の自治体に一億円を配るという「ふるさと創生」が行われました。そのときある雑誌が小さな自治体の首長にそのお金をどう使うかアンケートをとった。すると九九％がどう使っていいかわからないという返答だったといいます。あのときはハード（建物や施設の建設）はダメ。ソフトに使えという指示だったので、それまで国からのトップダウンでまちづくりをしてきたところは知恵もノウハウもなかったのです」

竹下内閣が実施した「ふるさと創生」については、石破茂氏からも首藤氏の話を裏付けるような裏話を聞いたことがある。全国の自治体に一億円ずつ支給するというこの政策は、野党やリベラルな国民からは「究極のばらまき政策」として批判を受けた。

石破氏も竹下氏に、「なぜこんなことをするのですか？」と聞いたことがあるという。

すると竹下氏はこう言った。

「地方の知恵を測るためだわね。この一億円をどう使うか。どう役立てることができるか。各自治体の知恵を測って、今後の国づくりの指針にするんだわ」

この竹下氏の思惑を察していた当時直入町役場職員だった首藤氏は、このときをチャンスとばかりに、交付される一億円を使って長湯温泉の特徴である「炭酸泉」を最大限に生かす地域振興策を考え、地域の自立を図った。

その目玉は、温泉療法が盛んなドイツの炭酸泉の温泉地バートクロチンゲン市との温泉交流であり、国内では「全国炭酸泉サミット」を開催することだった。

文献によれば八世紀にさかのぼる歴史を持ち、江戸時代には、この地を治める岡藩主・中川侯の湯治場としても有名だった長湯は、けれど知名度としてはいま一つ。ヨーロッパでは定評のある炭酸泉による健康増進効果も、まだ全国的には認知度が低かった。

その「弱み」を国際交流と全国サミットの開催で、首藤氏は一気に「強み」に転換することを狙ったのだ。

このとき直入町の首藤たち一行は、バートクロチンゲン市を訪ねて大歓迎を受けた。ドイツの先進的な温泉療法を視察し、大いに刺激を受けたことは言うまでもない。

バートクロチンゲン市でもこの国際交流を喜び、本場ドイツワインを生産する葡萄畑を直入町のために用意してくれた。毎年そこで採れた葡萄で「フロイントシャフト（友情）」と名付けた特製ワインを醸造して、直入町に送り届けることを進言してくれたのだ。折からのワインブームもあり、このドイツ直送のワインは、町内でしか買えない逸品として当時から今日まで大人気だ。

また県議会議員時代には、かつて戦前に長湯地域の先輩たちが「健康飲料」として炭酸泉を瓶詰めして福岡で売っていた事実に学び、ペットボトルに入れた超硬水「マグナ１８００」の企画販売をした。便秘や糖尿病に効く水として、いまも年間約三〇〇〇万円を売り上げている。

地域の強みを徹底的に掘り進めてアピールするという、地方創生の鉄則の一つを首藤氏はここで実現したのだ。

温泉療法保健システム

さらに市長時代には、二〇一五年に初代地方創生相となった石破茂氏からこんな言葉をかけられたこともある。

「首藤さん、温泉療法保健システムを考えるとはすごい!!」

上京時に盟友石破茂氏と。2022年、銀座にて

このとき首藤氏は、入湯税を使って、「竹田式湯治保健システム」と名付けた現代の湯治場に繋がる制度を創設した。

web版パスポートアプリに登録して宿泊すると、宿泊に三〇〇円、温泉入浴に二〇〇円、歩く体験に一〇〇円または五〇〇円受けとれるシステムだ。

「長湯温泉は、昔は殿様も浸かった湯治場でした。湯布院のような観光地とは違う。その歴史を生かして、湯治場としてお客さまに来ていただこうと考えたのです」

まさに県議会議員時代に平松知事から学んだ「一村一品」の精神を、故郷の温泉地の発展に結びつけたアイデアだった。

すでに行政マン時代には、江戸時代から殿様の湯としてあった長湯の「御前湯」の建物を、五億円かけて再建（もちろん助成金を四億円使っている）。その温質だけでなくレトロな建物に、現在も多くのファンがついている。

さらに二〇〇五年には、大丸旅館の関連施設として炭酸泉の日帰り温泉施設「ラムネ温泉館」を、建築家・藤森照信の設計で建設。二階を私設美術館として、かつてこの地に湯治にやってきた川端康成や高田力蔵、彫刻家・朝倉文夫等、画家や文豪、文化人の残した作品を展示して人気を博している。

この二つの温泉施設の人気により、その建設前までは七万人だった地域の湯治客は、七〇万人にまで増えた。

観光だけではない。市長時代には竹田市にあった廃校を利用して、全国の若手職人に呼びかけてそのアトリエとして開放する政策も実施した。さらに中心市街地にあった空き家を市が買い取ってリノベーションし、職人たちに貸してギャラリーやショップとしても活用している。増え続ける廃校や空き家を「逆手にとって」、若者たちを呼び寄せるアイデアは約二〇年前からあったのだ。

その流れに乗って、最近首都圏から移住してきて、中心市街地に古民家レストランを開いた神奈川県生まれの料理人・松岡可奈氏は、竹田市の印象をこう語る。

「城下町なので閉鎖的と聞いていましたが、みなさんにとてもよくしていただいています。

移住者松岡可奈氏がシェフを務め、2020年8月にオープンした「kana's kitchen at RecaD」

意欲的な農家さんも多いので、畑ごとお皿に出すイメージで料理しています」

そのレストランのキャッチフレーズは「土地の記憶に出会う場所」。たとえばこの地に伝わる「干し竹の子」をパスタに入れたりして大好評だ。地元では煮物が定番だが、「よそ者力」で新しい魅力が開拓されている。

だが――。それでも人口減少の大波は止まらない。首藤氏はめげずにこう考える。

「竹田市も直入町も、主要産業は農業と畜産、林業です。トマトは西日本一の産地であり、畜産もがんばっている。でもそういうところには後継者が戻ってきません。都会に出た地元の若者に戻ってもらおうとしても、家業を継いでもらうのは難しい。ならばよそから若いプレイヤーを引っ張ってくるしかない。そこにこの町が持続可能になるか否かの命運がかかっています」

すでに首藤氏は市長時代から、地域おこし協力隊の隊員を年間五〇名近く採用し、トータル約九〇名のうち六割五分がこの地に留まっている。「よそ者力」については、経験値は高いのだ。そのノウハウを使って、今度は長湯温泉エリアに隈氏とともに「小さな小屋」をたくさんつくろうとしている。そこに若者やアーティスト、文化人、料理人などを呼び込み、地域を活性化させようというアイデアだ。

古希を迎えるいまは、アルベルゴ・ディフーゾの推進と同時に、この地の未来を次代に託すための世代交代も考えている。

世代継承

「現在の大丸温泉グループは、本館の旅館と長期滞在施設のB・B・C長湯（ベッド、ブレックファスト、カルチャー）、さらにラムネ温泉倶楽部（ラムネ温泉館を経営）と健康づくり飲料水マグナ1800の製造販売を手がけています。これらを長男と次男に事業継承することにしました」

二〇二三年を迎えるに当たって、まず首藤氏が手がけたのは、次世代への事業継承だった。ともに東京の大学に学び、地元に帰って一五年以上たつ息子二人は、村のサイズにマッチした個性的な温泉地をつくろうという父の考えを継承している。

長男の優作氏は、B・B・C長湯にワーケーションやテレワークができる離れを二棟、隈氏の設計で建設中だ。地域内の古民家をリノベして宿泊施設に変える事業は、次男の匡輔氏が中心となって進めている。氏は古物商の免許をとり、骨董を扱う店も計画している。二人のことを語りつつ、首藤氏が言う。

「最近地域内で、私たちの思い出の物件が二軒手に入りました。一つは郵便局だった建物です。二階には一〇畳間が五つあり、一階には応接間を含めて三部屋ある。シェアハウスにできる可能性は十分です。もう一つも昔庄屋さんだった大きな家です。ここも使い出のある建物です。両方ともに地域再構築事業交付金を使ってリノベします。利用していただくイメージは、ホテル型の短期滞在ではなく、一週間から一ヵ月の長期滞在です。そういうゲストが増えたら、あと五年したらこの地域はずいぶん変わりますよ」

首藤氏のイメージには、残念ながら長湯を離れて外に出ていった地元の人がシニアになって戻ってくる姿はない。大分市内や都会に出ていった人が戻ってくるのは難しいと思っている。

それよりも、ここで新しい人生を築こうとする三〇代・四〇代の「よそ者」たちがクリエイティブな人生を展開してくれた方が、地域には刺激的だと言う。

「過疎になっていくまちが、逆に空き家という新しい時代へ対応する器を授けてくれます。空き家を再生して都会の人たちのとまり木にできたら。長湯を、長期滞在でクリエイティブな活動ができる「安くていいところだよ」というイメージの場所にしていきたいと思います」

故郷の長湯温泉地区を流れる芹川の川辺を歩きながら語る首藤氏の姿は、エネルギーに溢れている。故郷を愛する体内の遺伝子が、故郷の風に吹かれて常に喜んでいる感じがする。周囲からも「これだけ故郷にコミットする人も珍しい」とよく言われるという。

そう言われるたびに氏は、

「竹田からは大企業の会長や社長もたくさん出ているのに、彼らは帰ってこようとしません。幼いころ遊んだ川や山があるんだから、帰ってきてゲストハウスをつくったり好きな芸術作品を揃えて愛でたりしたらいいのに」

と、苦笑するばかりだ。

その脳裏には、かつて大佛次郎《おさらぎ》や田山花袋《たやまかたい》らの文豪が愛した温泉に入り、季節ごとの地元の産物を食べ、爽やかな風を感じながらこの地でアクティブな活動をするゲストの姿が見えている。

こんな幸せがあるか！　と、首藤氏は一人ほくそえむ。

一人のシニアのふるさとと愛が、地域を変えようとしている。

二　「村終い」の集落を蘇らせる試み――埼玉県秩父市栃本地区、丹治洋介氏

鯉のぼりにかける思い

「おーい、もちっとロープを張ってくれ～」

「了解です。このくらいでいいですかぁ」

「すまんね～手伝わせて」

「大丈夫です。ぼくら若いですから～」


四月の青空の下、埼玉県秩父市の栃本集落では、何人かのシニアたちが集まって「こどもの日」を目指して恒例の鯉のぼりかけが行われていた。

ここは市内の中心にある西武秩父駅からでも車で約一時間。標高は約七五〇メートル。かつては「天空の村」とか「天界の集落」と呼ばれていた地域だ。車がやっとすれ違える細い道路に沿って、古い民家がぽつぽつと点在している。

周囲は見渡す限りの山また山。遠くには埼玉県・山梨県・長野県の県境に聳《そび》える甲武信《こぶし》岳も見える。新緑に包まれて、身体の芯から洗われる思いだ。

その集落の真ん中の、傾斜度二五度はありそうな斜面沿いの畑の上にロープを張って、大きな鯉のぼりを何旒《りゅう》も揚げる作業が続いている。

その里山の景色に溶け込む鯉のぼりを見つめていて、つい聞いてしまった。

「この集落には何人の子どもがいるんですか?」

すると作業着姿の老人が苦笑いしながら言った。

「馬鹿言うんじゃねぇ。この集落に子どもがいたのなんてもう二〇年前だ」

さもありなん。それが今日の、日本の地方の現実なのだ。

シニアでも「若者」

この地は、江戸時代には武蔵の国と甲斐の国を隔てる関所があり、秩父街道のまちとして栄えた。けれど昭和の時代から過疎は始まり、近年は流出する若者すらいなくなった。最盛期には三〇〇人を数えた集落の住民も、現在は三〇人あまり。もちろん高齢者が圧倒的だ。

　この日作業していた区長の小河氏と前区長の廣瀬氏はともに七〇代前半。二人だけだったら鯉のぼり揚げもしんどい作業だったはずだ。

栃本集落でのイベントで挨拶する丹治洋介氏、右は出倉正和氏

　ところがそこに五〇代、六〇代、七〇代の「若者」が三人現れ、この作業を手伝っている。丹治《たんじ》洋介氏（五九歳）、出倉正和氏（七一歳）、山崎知彦氏（六五歳）だ。

　丹治氏は元商社マンで、いまは都内でアパレルの輸入会社を経営している。二〇一四年にこの地に出会い、以降ここに通いつめ、二一年には仲間と「株式会社栃ふさ」という地域おこしの会社を設立した。都内と往復しながらさまざまな活動を展開している。

　出倉氏は元都庁の役人。山登りが趣味で、自宅は千葉にある。丹治氏と一緒にこの地に出会い、二〇一七年には廃業していた民宿を購入。この地に滞在して「甲武信」という名前の民泊を営業している。

山崎氏は元大手化粧品メーカーの営業部長だった。アジア各国につくった現地法人の社長も務めていたが、退職と同時に故郷秩父市に戻り、「地域おこし協力隊」に参加。栃本だけでなく秩父市全体への移住促進等の仕事で活躍している（取材時）。

ちなみに「地域おこし協力隊」とは、前節でも述べたように「地方に首都圏の若者を振り向ける政策」として、二〇〇九年に生まれたものだ。地方で働きたい人材を首都圏から集めて、三年間の任期で国が経費を出して自治体が雇用する。月給は一六万円から一九万円程度。住宅費も支給される。

仕事としては、受け入れ自治体が課題とする移住・定住者の受け入れ業務、空き家の活用、地場産品の開発・販売、農林水産業への従事、地域支援活動など多岐にわたる。

三年間の任期のあとは、その地域で独立起業ないしは就職して、地域活性化の仕事をしながら自ら移住・定住を目指すという大きなミッションもある。

ではなぜこの三人が、故郷でもない奥秩父の栃本集落に来て鯉のぼり揚げの作業を手伝っているのか。その理由を丹治氏が語る。

「私たちはこの地を気に入って、週末ごとに通っています。自分たちも楽しみながら人が住んでいない古民家をセルフリノベーションして宿舎やレストランをつくったりして、集落を出ていった人たちが戻ってこれるように、この地に人を引き込んで賑わいをつくろうと思って活動しているのです」

「民家の学校」をきっかけに

丹治氏と出倉氏がこの地と出会ったのは二〇一四年のことだった。栃本が、二人がたまたま参加した各地に残る古民家を訪ねて日本建築の真髄を学ぶ「民家の学校」の開催地になったのだ。この学校は毎年四月に開校し、一二月まで八回にわたって講座が開かれる。

栃本での開催時、二人が地域の古民家を訪ね歩いていると、そこで出会った地元の古老が寂しく呟いた。

「この地区はもう老人ばかり。もうすぐ村終《むらじま》いするだ」と。

この言葉に、二人は言葉を失った。丹治氏が振り返る。

「それを聞いてぼくらは考えました。こんなに魅力がある場所なのに、と――」

そこから二人の栃本通いが始まった。途中では、秩父市で協力隊員になっていた山崎氏との出会いもあった。何人かの同世代の仲間で意気投合して、週末に栃本に集まっては古民家のリノベーションや、ワインづくりを目指しての葡萄の栽培などの畑仕事が始まったのだ。

つまり彼らは「下り列車に乗ったシニアたち」だ。これまで地方創生は「若者たちを如何に呼び寄せるか？」という文脈で語られがちだったが、どっこいシニアの力は素晴らしい。前節でも語ったように、情報と人脈とやる気と資金力（Ｃａｎ）、そして故郷や地域を蘇生させようという意志（Ｗｉｌｌ）がある。まずアクションを起こしたのは出倉氏だった。

「まずはみんながここに来たときに寝泊まりできるように、私は廃屋になっていた古い民宿を買い取ってリノベして民泊「甲武信」をつくりました。一階には広い和室。二階にも三部屋あります」

丹治氏はその民宿に隣接する古民家をレストランにリノベーションした。一階には広い調理場、二階には二〇人は座れるダイニングとピザ窯。中間の庭先の小屋には大きな風呂もある。

そうやって生活の場を確保するのと同時に取り組んだのは、斜面の休耕畑を借りての葡萄づくりだった。自分たちでワインをつくりたい。そう願って始めてはみたが、途中では五〇〇株植樹したピノ・ノワールの苗の九割が枯れる苦難もあった。けれど改めてチャレンジした甲斐ブランで、七年目の二〇二二年、ついに初めての白ワインができた。

「葡萄は収穫後によその醸造所に持っていきワインをつくってもらいましたが、美味しかった。やっぱり自分たちで育てた葡萄のワインは最高です」

そう言って相好を崩す。

ワインだけではない。丹治氏たちは次々とアイデアを出してこの地域に人を呼び込むことに夢中になった。そのアイデアは、約五ヘクタールに及ぶこの集落全体を「賑わいのあるエンタテインメント空間」につくり替える勢いだ。

週末には細い街道沿いにつくった見晴らしのいい高台に、キッチンカーを持ち込んでカフェを開く。

立派な古民家をリノベして、広いダイニングとリビング、大きなモニターとハンモックを備えた一棟貸しのゲストハウスもつくった。

さらに地元の人も入れる公衆浴場や、ツリーハウス風のキャンプ場もつくる計画だ。

広いスペースや野山の大自然を使ったイベントのアイデアも満載だ。

「ヨガの先生を知っているからここでワークショップをやってもらおう」

「発酵食品の勉強会をやってみんなでつくろう」

「向こうに見える刈場坂《かばさか》峠の登山もやろう。沢登り（シャワークライミング）もいいね」

「山頂の公園で星空を見る会もいいね」

「機織機をもらってきたから機織りのワークショップもやろう」

等々、まるで一〇代の少年少女のように瞳を輝かせながら、この地に「人を集める」コンテンツを考えていく。

その姿を見ながら地元の古老が言う。

「私たちは本当に村終いを考えていました。いまから賑わいは取り戻せないと思うけれど、丹治さんたちが来てくれて集落が活気づいた。それだけでもありがたいと思っています」

鎮守様の修復

実は、丹治氏たちが地元の人たちと親しくなったのはわけがある。

集落と出会って三、四年目のこと。集落から山道を登って約一五分のところにある、このエリアの鎮守様である「両面神社《りょうめん》」を訪ねたとき、丹治氏はあることが気になった。

――鳥居が古くて倒れそうになっている。

このままではいけないと思った丹治氏たちは、森の木を切って一年寝かせて鳥居を再建した。当初こそ、集落の長老は「なんでよそ者にあんなことをさせるんだ」と怒っていたというが、完成してみると村人はみんな喜んだ。それ以降、丹治氏たちのことを気づかってくれるようになり、関係も良好になったという。

よそ者が集落に入ると多かれ少なかれ摩擦は起きる。それを避けるのではなく、あえて一度ぶつかることで互いの胸襟が開けることがある。

丹治氏たちの八年間は、その繰り返しだった。だからこそ、「村人も巻き込んだ再生」が一歩ずつ進んでいるのだ。

ツリーハウス計画

やがて迎えた二〇二三年、栃本と出会って九年目。再び丹治氏にインタビューすると、その計画は着実に成長していた。こう語る。

「徐々にですが、これからは自治体と組むプロジェクトも生まれてきそうです。行政と組むことで縛られたくはないですが、このエリアは限界集落ですから、秩父市としても森林資源を使った活性化を考えている。いい形で手を組めればと考えています」

計画していた山の中にツリーハウスをつくるキャンプ場計画は、助成金が出て工事が始まった。敷地内の高さ二〇〜三〇メートルはある巨木を伐ってくれるのは地元の樵《きこり》だ。秩父市の大工さんがウッドデッキをつくり、グランピング場としてテントも張る予定だ。丹治氏が近隣の飯能《はんのう》にある同様のキャンプ場を視察すると、冬場でも多くの人がキャンプを楽しんでいた。コロナの影響もあり、グランピングのブームは本物だ。順調にいけば、ここに「賑わい」をつくれるはずだと氏は言う。

地元の人も入る大浴場にも助成金がつき、その建設も始まった。

丹治氏はエリア内にもう一棟、自分たち家族の生活用の古民家を購入した。ここもリノベして、二〇二三年の冬からは本格的に移住することを考えている。

二〇二三年の正月に、秩父市の北堀篤市長に出した計画書にはこうある。

「栃本ふるさとプロジェクト――奥秩父の美しい山村「栃本」に、あなたの、わたしの、ふるさとをつくりたい」

計画書の中で、栃本の中心の約五ヘクタール（約五〇〇メートル×約一〇〇メートル）のエリアには、丹治氏たちがつくってきた施設が広がっている。

中心には出倉氏が経営する民泊「甲武信」がある。その隣にはピザ窯のあるレストラン「ふるさとてらす」。街道脇にはキッチンカーが停まる「かふぇ もくもく」。民家を挟んで斜面を少し降りたところには一棟貸しの「旅籠《はたご》 空」。その下の森には建設中のキャンプ場「ツリーハウス」が広がる。

さらに少し離れた畑には、八〇〇本の苗木が育つ葡萄畑があり、浴場湯屋「月」もまもなく完成する。茶室や工房を造る計画もある。

このエリアに人を集める計画も、着実に進んでいる。

秋のキノコ狩りでのバーベキュー

天体観測のプロをリーダーとする星空観測会は、現在では年に四回開催している。毎回二〇名から二五名がやってきて、民泊甲武信で泊まっていく人も少なくない。

毎年五月半ばに行われる新茶の茶摘みも恒例イベントになった。参加者は自分で摘んだお茶を手もみして煎茶にして、その味を楽しんでいく。

一〇月にはキノコ狩りを四、五回行う。ここにはトータルで一〇〇人以上がやってきて、大人気だ。

その他、夏場には沢登り（シャワークライミング）や野外ヨガ。秋には葡萄の収穫や蕎麦打ち。冬にはジビエ料理を楽しんだり、ワインヌーヴォーの会などもある。丹治氏が言う。

「栃本は志やアイデアを持つ人がトライできる場所と定義しています。自分たちもこの大自然を楽しんで、ゲストにも楽しんでもらう。そういう空間がだんだんとできあがってきました」

もちろんここまでくるためには、丹治氏を中心に、メンバーとなるシニアたちは互いの資金を持ち寄って、合計で約五〇〇〇万円の投資を行っている。それだけの資金力という「Can」があるからこそ、栃本というエリアは胎動を打ち始めたのだ。

少年時代の思い出

丹治氏にはもう一つエピソードがある。実は少年時代の思い出が、この活動のバックボーンになっているのだ。新潟県六日町の母親の実家が経営していた高級旅館の記憶。この取り組みには、それが込められているという。こう語る。

「新潟県の六日町で、祖父がデザインして伯父が経営する旅館がありました。全て平屋で、素晴らしい建物だった。やってくるゲストも輝いていました。いまは売ってしまったのですが、少年時代にその隆盛を見て育ったのがぼくの財産かもしれません。ゲストを迎えて喜んでもらうビジネスの原点は、あの少年時代にあったのかもしれません」

栃本は故郷ではないが、精神的な意味では故郷の原体験に繋がっていると言うのだ。だからこそ、自宅とする古民家のリノベが完成したら、栃本を生活のベースにして東京には週に二、三日滞在するスタイルにしようと丹治さんは計画している。人生の後半は、この地の活動にかける思いだ。

全国を見ても、「シニアによる集落再生」の取り組みは各地で散見されるようになった。どうやら都会でひと仕事終えたシニアたちは、人生の末期にもうひと仕事、使命感を持って「自分の人生を変え」、その延長として「地域創生」に当たりたいと思っているようだ。三〇代・四〇代のころの体力はなくても、シニアには人脈と経験、知恵、そしてそれなりの財力もある。

そしてその活動は、何らかの形で少年時代の「古き良き日本」の再生を目指している。そんなシニアの存在は、地方創生のプレイヤーとして、頼もしい「戦力」だ。

下り列車に乗ったシニアたち。これから各地で増えていきそうな勢いだ。

第二章　地方のシンボルを守れ

神山典士

現代社会を生きる私たちにとって、通底する価値は「経済」と言っていいだろう。「経済合理性」を至上命題とする現在の新自由主義経済下において、地方と都会の所得格差が広がり続ける以上、若者たちは「上り列車」に乗って、「経済」を求めて都会に出ていく。けれどそこで待っているのは「好きと嫌いのスイッチをオフにした生活」だと語る人がいる。

都会の高い家賃と狭い家での生活。満員電車の長時間通勤。稼げるけれど支出も膨れ上がる消費生活。それらに対して「NO」と言いたいけれど、そのスイッチをオフにしないと都会で求める経済は手に入らない。

けれどそれでは人間性が麻痺するからと、このスイッチを「オン」にする若者が増えている。そういう若者は、地方を選ぶ。そして経済に代わるものを大切にする。

経済力では都会に劣る地方の魅力の根幹となるもの。経済合理性を超える求心力を持つもの。それは地方の「シンボル」だ。例えば自然環境であり、祭、文化、食文化、教育環境等、好きと嫌いのスイッチをオンにした人が求める「シンボル」は、多様にある。

その存在は健康に似ている。普段は当たり前でも、なくしてからその価値の大きさに気付く。だから私たちはそれが消滅しないように、地域をあげて守っていかなければならない。例えば千葉県銚子市のように――。

一　電車を止めるな‼——衰退するまちのシンボル・銚子電鉄

NHKで流れた銚子電鉄の苦境

千葉県銚子市を走るローカル線「銚子電鉄」との出会いは、二〇二三年一月にNHKで放送された「視点・論点」に、銚子電鉄社長、竹本勝紀氏が登場したことだった。

後日会ってみると、駄洒落ばかり言っているとぼけたキャラクターなのだが、この日ダークブルーのスーツで画面に登場した氏は、やけに真面目な表情でこう語り始めた。


「銚子電鉄は、千葉県の最東端、銚子半島を走る全長六・四キロメートルの小さなローカル鉄道です。大正時代の一九二三年に開業し、今年で一〇〇周年を迎えます。正社員はわずか二〇名余り。人員不足を補うために、代表である私も電車の運転を担当しております。

（中略）

銚子電鉄は、通勤・通学など市民の足としてのみならず、銚子観光に欠かせない鉄道として、たくさんのお客さまに親しまれてきました。しかし多くのローカル線同様、モータリゼーションの進展や少子化による沿線人口の減少により、鉄道収入も減少傾向にあります。加えてコロナ禍による観光需要が低迷し、会社の状況は非常に厳しいものがあります。このような環境下でどうすれば集客に成功し、地域経済に貢献できるのか。皆でいつもアイデアを出し合っています」

運転手の制服を着た竹本勝紀社長

毎年人口が一〇〇〇人減るまち

この放送を見たあと、関東地方の、いや日本列島の最東端にある銚子市を訪ねてみた。

都心からは房総半島を横断する特急で約二時間。高速バスを使うと約二時間半かかる。高速道路網も、圏央道や東関東自動車道とはまだ接続していないので、隣接する旭市や匝瑳《そうさ》市からは下道を走らなければならない。

東京の隣県千葉県にありながら、思ったよりも交通環境は悪い印象だ。

とはいえ銚子市は、「日本列島で最も早く初日の出が昇る町」として有名だ。沖合には黒潮と親潮が交わる、世界が羨む豊かな漁場をもっている。銚子港は北海道から沖縄まで、全国各地から漁船が入港する水産物流通基地としての役割を担っており、水揚げ量は約二八万トンと一二年連続全国一位を誇っている。

けれど銚子市は、この漁業という「地域資源」を地域振興に生かせていないきらいがある。銚子市内には水産会社、水産加工会社、冷凍冷蔵施設、製氷工場等が集まり、全国の消費地と直結した日本随一の水産都市とも言われている。けれどそれは「水産加工業の町」としての実績であり、「ここでしか食べられない生魚グルメの町」とか、「魚をメインにしたテーマパーク」といった「人を集める」食文化やエンタテインメントの「ブランド化」はできていない。

一方、農水産業が主要産業であるだけに「女性が働ける職場が少ない町」という現実がある。殊に二〇歳から二九歳の女性の転出者は、男性や他世代に比べて圧倒的に多い。

そのことも影響して、人口はここ数年毎年約一〇〇〇人のペースで減り続けている。最盛期には約九万二〇〇〇人だった人口が現在（二〇二三年一月現在）は約五万六〇〇〇人となり、二〇三五年には四万二〇〇〇人台になるというデータも出ている。

いわゆる消滅可能性都市にも指定され、人口減少が進む日本の地方都市の典型だ。竹本が語るように「状況は非常に厳しいものがある」というのは銚子電鉄だけでなく、実はその舞台となっている銚子市自体が「風前の灯火」状態なのだ。

親（銚子市）が倒れるのが早いか子（銚子電鉄）が先か――。

そんな暗澹たる風景を思って「いつ廃線になってもおかしくない」と揶揄《やゆ》される全長六・四キロメートルのローカル線の本社を訪ねてみた。ところが意外にも、そこに広がっていたのは「可能性」を感じさせる日本の近未来の姿だった。

徹底的なリサイクルの鉄道

目指す銚子電鉄の本社は、始発の銚子駅から一つ目の「仲ノ町」駅舎に隣接する古い木造平屋にあった。

「えっ？　ここが本社か」

と思わず声が出てしまう。鉄道会社の本社というよりも、学校か工場の物置といった風情の建物だ。

扉を開けると、いきなり低い天井に薄暗い室内が広がっている。狭い部屋には形の揃わない机が六つ並び、奥の席に行こうとすると身体を傾けないと机の間を通れない。

隣の部屋には駅舎には不似合いな、けれど同社の売り上げの八割を締めるスナックや米菓子類の商品が山積みになっている。後に述べる複業（ダブルワーク）路線の先駆となったヒット作「ぬれ煎餅」。自虐ネタの「まずい棒」。竹本のキャラクターを生かしたのか駄洒落を使った「鯖威張る（サバイバル）カレー」等々。お菓子を包む極彩色のパッケージが山になって、蛍光灯の光にぼんやりと浮かんでいる。

部屋の奥の竹本社長の机には、鉄道員の制服と帽子、白手袋が、いつでも運転手として乗車できるように準備されていた。

竹本氏は淡々とした表情でこう語りだした。

本社のある仲ノ町駅にて

「私が経営を引き継いだ二〇一二年にはこの会社は預貯金が五〇万円、借金が二億円超、常に倒産ぎりぎりです。去年は六期ぶりに二一万円の黒字になり、やっとブラック企業になりましたが（笑）、やれることはなんでもやらないと倒れてしまう。人手不足だから私は運転手だってやります。何より鉄道会社としてはお客さまの安心安全のための鉄路や車両の保守が最優先、社屋なんてこれでいいんです」

先に銚子市の人口減少を書いたが、それは現在の日本の状況の相似形と言える。

今後の日本も、五〇年後の二〇七〇年には人口が八七〇〇万人を切ると言われている。つまり現在の三分の二の人口（しかも高齢化率三九%!!）で、二〇〇八年最盛期の人口一億二八〇〇万人時代の各種インフラや公共施設を支えなければならなくなる。

そのメンテナンスの費用も膨大なものになるから、どう考えてもインフラや施設の老朽化は避けられない。

その視線で銚子電鉄の「あり物を利用する」という徹底した経営姿勢を見れば、これぞ日本のお手本!!　つまり今後の日本は、道路も橋も建物も、銚子電鉄を見習って、古いものを上手に使うしかないのだ。

それでいて銚子電鉄は、本来の電鉄会社の使命である乗客の安全輸送や一日一九往復する地域の公共交通の役割は十分に果たしているし、二〇二三年七月には創業一〇〇周年を迎えた。

日本社会も銚子電鉄を見習って、老朽化するインフラの中で国民一人一人ががんばる以外に、この人口減少期を乗り切る手はないということだ。

つまり銚子半島に延びる銚子電鉄は、未来の日本の先駆者なのだ。

複業の先駆者

さらに「視点・論点」の中で竹本氏は、銚子電鉄がすでに実践しているもう一つの日本の先進事例も語っていた。

「（鉄道資産の維持費を捻出するために）弊社が最初に手がけたのは、たい焼きの販売、次いでぬれ煎餅の製造販売、五年前には「経営状況がまずい」を逆手にとったスナック菓子（まずい棒）の販売を開始、これは販売累計四〇〇万本を越えるヒット商品となりました。今では売り上げの八割近くがお菓子という、「おかしな鉄道会社」と言われております」

振り返れば二〇〇六年一一月のこと。ネット上で「ぬれ煎餅を買ってください。電車修理代を稼がないといけないんです」というコメントが飛び交ったことがあった。銚子電鉄の古参社員が苦し紛れに公式サイトで呼びかけた一言だった。

これが「2ちゃんねる」で話題となり、多くのメディアが取り上げたことで、ぬれ煎餅の売り上げは倍増した。銚子電鉄の名は全国に知られることとなり、間一髪で倒産を免れることができたのだ。

ここでのポイントは複業だ。

すでに述べた人口減少と並行して、銚子への観光客も東日本大震災の放射能問題や二〇二〇年からのコロナ禍で激減している。銚子電鉄の乗客数は、沿線人口の減少もあって、一九六〇年代の一七〇〇万人をピークに昨今は三〇〇万人台と約六分の一となっていた。

その危機をかろうじて乗り切ってきたのは、一九九五年にオリジナル開発した「ぬれ煎餅」の販売に始まる「複業」路線だったのだ。前述したように自虐ネタをフルに使ったユニークな商品を開発してネット販売し、現在の売り上げは年間約四億円を記録。鉄道の売り上げの約四倍となっている。

ちなみに帝国データバンクでは、銚子電鉄の業種は「鉄道業」ではなく、「米菓製造業」となっている。自社の「会社案内」にも、「主たる事業」欄には「普通鉄道業」に並んで「食品製造販売業」とある。

この徹底した（なりふり構わない）複業路線を取ることで、銚子電鉄は幾多の経営危機を乗り越えてきたのだ。

この路線もまた、大企業でも複業が認められ始めた昨今の日本経済と同様だ。二〇二四年度の主要一〇九社の新卒採用戦線を調べた共同通信のデータによれば、複業を可能とする制度を導入している企業は四三％を占めている。その理由を、キリンホールディングスは「社外での多様な知見を得て本業に還元してほしい」とし、ＪＴＢグループは「社員の満足度が向上し生産性のアップに繋がる」とする。若者人口が減少する中で優秀な人材を取り込むために、企業も必死なのだ。

大企業は人材確保のため、銚子電鉄は経営難を克服するためと理由は異なるが、いずれにしても経営課題を乗り切るために「複業」スタイルをとることは、今後の日本経済では当たり前のことになるだろう。地方に行けば、いくつもの仕事を掛け持ちして自分の経済を成立させている人や組織はざらに存在する。

つまりこうしてみると、苦境にあえぐ銚子電鉄の姿は日本経済の将来そのものであり、それを苦肉の経営手法で乗り切ろうとする姿は、その最先端をいっていると言っても過言ではない。

そのリーダーである竹本氏は、同社の今後をどう考えているのか？

それを問うことは、日本経済の行く末を占うものでもある。

日本一のエンタメ鉄道

「視点・論点」の中で、竹本氏はこうも言った。

「（集客と地域貢献のための）一つの答えが「乗って楽しい日本一のエンタメ鉄道」を目指すという方向性です。（中略）エンタメという言葉には「おもてなし」という意味もございます。笑顔でおもてなしして笑顔でお見送りする。そして何度でも銚子に来てもらう。それが地域へのささやかな恩返しだと思っております」

つまり「日本一」を目指してやれることは何でも挑戦し、結果的に銚子にやってくる観光客＝関係人口を増やすことが使命だというわけだ。その点をインタビューで問うと、こう語った。

「全国に地方ローカル線は約九〇あると言われていますが、元ＪＲの第三セクター路線を除けばその半分が私鉄です。これが生き延びるためには休んでいる暇はない。まだ鉄道には地域経済のハブとして人を集めてくる力がある。私はミルフィーユ革命と呼んでいますが、自分たちがより一層進化していけば、鉄道も地域も生き残る可能性はあると思っています」

一枚一枚は薄くても層をなして存在感を出すミルフィーユ。「それは『千葉（千枚の葉の意)』ですね」、と駄洒落を飛ばしながらも、氏は本気なのだ。

たとえば銚子電鉄が掲げるエンタテインメント路線の一つに、駅のネーミングライツ戦略がある。

始発の銚子駅の壁には、「絶対にあきらめない」と小さく書かれている。乗客たちはこの文字を見て、「銚子電鉄の存続をあきらめない」と理解することもできるし、学生たちは「試験をあきらめない」、「部活をあきらめない」と読み替えることもできる。

銚子駅に書かれたメッセージ

これは二〇一五年に銚子電鉄が販売した銚子駅のネーミングライツを買った「株式会社BAN-ZI」という千葉市の企業が書いたものだ。

沿線に一〇個ある駅のネーミングライツは完売している。その企業からのメッセージのいくつかを示すと――、

・本銚子駅――「上り銚子、本調子、京葉東和薬品」
・笠上黒生《かさがみくろはえ》駅――「髪毛黒生」

・外川《とかわ》駅──「ありがとう」

といった具合に、各駅にはスポンサー企業のPRではありながら、乗客たちへのエールにもなるメッセージが掲げられている。単なる企業PRではなく、地元民や利用者へのメッセージになっているところが銚子電鉄らしい。

さらに歴代のユニークな「エンタメ日本一」の軌跡を記せば──。

二〇一五年の七月に「お化け屋敷列車、銚子怪談〜あの世より、船霊列車参上」を運行したのを皮切りに、

・列車の中で解禁したばかりのワインを楽しむ「ボジョレー・ヌーボー列車」
・駅名のネーミングライツの販売を実施（前述）
・車内を電飾で飾る「イルミネーション列車」
・風船とイルミネーションを楽しむ「バルーン&イルミ電車」
・駅ごとに妖怪スタンプを集める「妖怪スタンプラリー」
・銚子電鉄を応援するプロジェクトとして「銚電倶楽部」誕生
・車内でプロレスを楽しむ「電車プロレス」
・沿線の街歩きを楽しむスマホアプリ「銚子電鉄駅クエスト」開始

・レトロな「大正ロマン電車」
・鉄道の音を音楽配信する「着銚電音」
・車内で落語を楽しむ「落語列車」

等々、ありとあらゆるエンタテインメントの可能性を追求してきた。

そして二〇二〇年にはオリジナル映画「電車を止めるな！」まで制作して、のべ一万四〇〇〇人の動員を記録している。

まさに、やれることは全てやる。考えられることは全て考える。「異次元の少子化対策」とか「新しい資本主義」等、タイトルだけが先行してその実りに欠ける日本政府の政策とは対照的に、銚子電鉄は圧倒的な「実行力」を持っているのだ。

そのリーダーとしての竹本氏は、決して熱血ワンマン社長というイメージではない。ソフトな雰囲気で、駄洒落で笑いをとりながら、SNSやマスコミを駆使して同社を銚子市のある意味での広告塔にしている。

アフロきゃべつとのコラボレーション

その戦略として、ここ数年銚子電鉄が進めているのは、地元事業者と協働する「×（カケル）企画」だ。

「視点・論点」の中では、竹本氏はこう発言している。

「当社では数年前から「×（カケル）企画」として、地元事業者との協働によるイベントや商品の開発に取り組んでおります。「銚子電鉄×地元事業者」、そして「天翔る」の意味を込めた本企画により、地元の農家が開発した春キャベツをふんだんに使った餃子がヒット商品になるなど、当社と地元事業者との間でwin-winの関係を築いてまいりました。（中略）地元事業者と銚子市、当社の「三位一体」の誘客への取り組みにより、新たな観光需要が生まれています」

ここで語られたように、銚子電鉄の線路沿いにきゃべつ畑を持つ「ヘネリーファーム」では、同社ブランドの「アフロきゃべつ餃子」を銚子電鉄とコラボして特別パッケージに入れて販売を開始し、大好評を得ている。

代表の坂尾英彦氏はこう語る。

「うちの畑の中を銚電さんの線路が走っているご縁もあります。コロナ禍で銚電さんの経営が苦しいと聞き、一〇〇年越しのコラボとして特別パッケージで「アフロきゃべつ餃子」を発売しました。売り上げも好調で、その一部は銚電さんに寄付しています。今回だけでなく、銚電さんは銚子の中でずば抜けて面白いことを企画する会社です。地域の広告塔になっていますね」

竹本氏が「視点・論点」の中で語ったように、銚子電鉄が実行してきた「日本一のエンタメ路線」、「複業戦略」、「×（カケル）戦略」等のアクションを、地元の人もしっかりと認識して評価しているのだ。

その上で、銚子電鉄を「地元銚子市にはなくてはならない存在」と認めているのだ。ちなみに、「アフロきゃべつ餃子」には、通常ならば市場に出荷できないような規格外のきゃべつが使われているという。だから、産地ロスの解消にもなっている。まさに竹本氏が言うように、徹底的に地元との win-win が目指された企画なのだ。

銚子電鉄は健康と同じ

もちろん銚子市も、二〇一四年からふるさと納税を使って銚子電鉄支援の「応援基金」をつくり、年間約一五〇〇万円を支援している。とはいえ行政的なルールの中で難しいのは、銚子電鉄がこのまちにあることのメリットを数値化しにくいという点だ。

「健康と同じで、なくしてみないとわからないのが銚子電鉄かもしれません」

と、担当者は真面目な顔で言うのだ。その上で、こう続ける。

「銚子市としての銚子電鉄の存続は必須課題なのですが、市民の日常の足という部分になると、鉄道が延びているのが市の東側だけであり、通勤の足も自動車にシフトしている現状がある以上、電鉄を維持するために税金をそこまでかけることに市民全員の納得をいただけるかというと難しい事情があります。沿線人口も減少しています。今後は公共交通としての意義よりも、観光コンテンツにシフトしていくのではないでしょうか」

振り返れば平成の半ばから今日までに、全国で約三〇の私鉄ローカル線が廃線となった。地図から鉄道が消えると、その地域は確実に衰退していくと言われる。銚子半島から鉄路が消えるとき、銚子というまちの存在も風前の灯火となる。

竹本氏はきっぱりとこう語る。

「確かに沿線人口が減ればいつかは銚電もなくなるでしょう。でもそれは今ではない。たとえ古びた電車であっても、そこには無限の可能性があると信じて、私たちは鉄路を繋いでいきます」

正月の「視点・論点」でも、竹本氏は最後にこう語った。

「我が国における鉄道全般、特にローカル鉄道には、経済合理性だけでは語り得ない魅力があり、いつまでも残したい日本の風景がそこにあります。（中略）そんな思いから、逆説的ではありますが『鉄道を残すために鉄道以外の事業で収益をあげること』にも積極的に取り組み、複業において一定の収益をあげることで地域鉄道としての使命をなんとか果たしてまいりました。（中略）私どもに与えられた使命は、『鉄道を存続させること』。もっと言えば鉄道の存続を前提として、地域にどんな恩返しができるか――、そのことに尽きると思っています」

竹本氏が「視点・論点」で強調したのは、「鉄道、特にローカル鉄道には経済合理性を越えた価値があり、地域とは表裏一体の関係にある」ということだ。地域が廃れれば鉄道も衰退する。ローカル鉄道が撤退したら、地域にとっても数字には見えない決定的な「痛手」になる。

「ローカル鉄道の再構築（経営再建）は地域の再構築（地方創生）と一体であるべきだ」

竹本氏はそう語って、「視点・論点」でのメッセージを終えた。

まさに銚子電鉄の未来は、そして日本の未来は、この言葉にかかっている。

第三章

地方の「懐かしい未来」を探せ

石破茂

一　「よそ者・ばか者・シニア世代」が今後の地方創生の希望になる

地方の「懐かしい未来」が見えているシニア世代

本書第一章に書かれている大分県竹田市の首藤勝次さん、埼玉県秩父市の丹治洋介さんたち。このケースのように、地方創生をテーマとする各地のシニア世代の活躍は、今後の大いなる希望だと思います。

私自身も含めて、現在のシニア世代（六〇歳以上）は、地方が賑やかで栄えていた時代を知る最後の世代と言えるのではないでしょうか。どんな田舎町に行っても子どもがたくさんいて、多くの家庭が赤ちゃんからお年寄りまでを含めた大家族で、地域ではお祭や学校行事などのイベントが盛んで、「今日よりも明日はいい日になる」と誰もが信じていた。そういう時代を生身で体験した最後の世代が、現在のシニア世代でしょう。

それ以降の世代にとっては、地方は生まれたときから疲弊を始めていたのではないかと思います。テレビやラジオ、新聞雑誌といったメディアから流れてくるのは、東京や大阪、名古屋といった大都市の華やかな情報ばかり。子どものころからそれを見聞きしていたら、「いつかは都会に出ていこう」と思うようになって当然でしょう。故郷は捨てるもの。お盆と正月にだけ帰ればいいもの。親世代からも「田舎には何もないから早く都会に出ていけ」と言われて育った人が多い世代になっていったと思います。

そういう五〇代以下の人たちにとっては、生き生きとした地方をイメージすることがなかなか難しいでしょうし、地方創生といっても、どんなゴールを目指せばいいのかがわかりにくいのではないでしょうか。

それに対してシニア世代には、子どものころの元気のいい故郷の楽しい記憶が残っています。だからこれから創るべき地方の姿もイメージしやすい。つまり、「懐かしい未来」が見えている世代と言ってもいいと思うのです。

そういう世代がいまこそがんばらなくてどうするのでしょう。その多くが仕事において一線を退いて、比較的時間にもお金にも余裕がある。そういう人たちが「あの楽しかったまちを取り戻そう」と、自分たちの地元や故郷で運動を始めたら、それはかなり大きな流れをつくることができるのではないでしょうか。

地方創生の現場では「よそ者・ばか者・若者」が必要とよく言われます。これは、地元にずっと住んでいる方々だけでは気づくことのできない視点を取り入れなければ、地域の本当の魅力が発見できないよ、という意味です。そうであれば、若者だけでなく、経験豊かな「シニア世代」が主人公になってもいいはずです。ならばこれからの地方創生は、「よそ者・ばか者・シニア世代」も合い言葉にしていいのではないか。地方創生は、若者ががんばるだけでは成功しないのですから。

湯治場を使った地方創生

本書に登場した大分県竹田市の元市長・首藤勝次さんとは、私は以前からご縁をいただいています。

私が初代地方創生大臣を務めた二〇一五年、首藤さんは竹田市長として故郷の長湯温泉の活性化をいろいろと考えられていました。当時、本書でも触れられている、入湯税を使った「竹田式湯治保健システム」を発案され、湯治客を何倍にも増やされたのです。お目にかかって直接その話を聞いて、素晴らしい着眼点だと感心し、地方の活性化策についていろいろと語り合ったことを覚えています。

大分県には湯布院という有名な温泉地がありますが、長湯はそれとは違う視点で、湯治場としての機能を強化し、人々を集めました。

全国を見ても、日本ではなぜか温泉療法がはやりません。ヨーロッパでは温泉療法はかなりポピュラーで、フランスでもドイツでも東欧諸国でも、リウマチや神経痛の治療として温泉療法が健康保険でカバーされています。ところが歴史的に湯治の文化があったはずの日本では、温泉療法は健康保険適用になっていないのです。それも温泉療法が一般化しない理由の一つなのかもしれません。

2022年11月、匝瑳市で開かれた「地方創生シンポジウム」にて。中央が首藤氏、両隣に本書の筆者

首藤さんは殿様も湯治したという長湯の歴史を踏まえて、保健システムをつくって湯治場としての価値を高めていきました。保健制度以外にも、江戸時代の殿様の湯治場だった「御前湯」を再建したり、炭酸泉の日帰り温泉「ラムネ温泉」をつくったりしてエリア一帯を活性化していき、その結果、かつて七万人だった地域の湯治客が約七〇万人（コロナ前）になったというのですから、目覚ましい成果というよりほかはありません。

しかも市長を引退された後も、長湯温泉エリア全体を宿泊所とする「アルベルゴ・ディフーゾ」構想を進められており、本書によれば、世代を継いでこの構想を進める体制もできつつあるようです。まさに地方のシニア活躍のシンボル的存在です。こういう人が全国に増えることも、これからの希望の一つなのです。

もっと地方の魅力を発信しよう

それにしても竹田市というのは面白いところです。実は江戸時代から隠れキリシタンの歴史があって、寺の中に石に刻んだマリア様がおさめられていたり、洞窟の中にキリスト教の礼拝堂があったりします。歴史を振り返ると、江戸時代のキリシタンたちは弾圧されていたけれど、竹田では殿様も家老たちも親キリシタンだったので、密かにキリシタン文化を守った。だから「隠れキリシタン」ではなくて「隠しキリシタン」だと、首藤さんはおっしゃっていました。

またまちの方々も、お菓子屋さんのご主人がすごいオーディオマニアだったりして、一人一人すごく魅力的な方が多いのです。

竹田市に限らず、地方のまちや人には、また行ってみたい良さ、また会いたい魅力が溢れています。東京は確かにダイナミックでエキサイティングでしょうが、それはどこか画一的で、いつかは飽きが来るようなもの。それに対して地方の魅力は、千差万別でとてもユニークなものなのです。

しかしその点については、地元の情報発信にも工夫が必要だと思います。竹田市でも、ホームページなどから得られる情報は、「作曲家の瀧廉太郎が小学生時代をこの地で過ごし、代表曲『荒城の月』は地元の岡城で着想された」というもの。確かに「荒城の月」は誰でも知っている日本初の西洋音階の曲ですし、岡城も難攻不落の山城として有名ですから、それを知ってもらうのは大事なことです。温泉情報もきれいな写真とともにそれなりに出てきます。

けれども、ただの温泉ではなくて療養メインの湯治場なんですよ、とか、隠れキリシタンの歴史があるんですよ、とか、面白い人が住んでいますよ、というような情報が、もっとどんどん発信されていい。地元の人にとっては「そんなことが魅力なの？」と思うものであっても、よその人にとってはすごく面白い、ということが、日本中の地域には溢れていると私は感じています。

だから私は、どのまちに行ってもそういう魅力を見つけては、「これは面白い！　ここを売り込もう」と提案するのです。ここを売り込めばもっと多くの人がこのまちに来てくれる。住みたいと言ってくれる。関係人口になってくれる。そう力説するのです。

すると、「そんなことまで知ってくれているのか」、「そんなことがよその人にとっては面白いのか」と言ってくれる方が多いのですが、「そんなことしてもどうせだめだよ」というネガティブな反応もあります。まちにかつての賑わいなんて取り戻せるはずがない。取り戻さなくてもいい。あるいは、「自分の代でこのまちも終わりだ」というような諦めがはびこってしまっているのも、全国的な現象と感じます。

もちろんそこにはさまざまな理由があるでしょう。実際に観光客が増えたり、地元産品を買ってくれる人が増えたりしたら、人的な対応ができないとか、原価コストが高くて利益が見込めないとか、新たな課題が生まれます。PRの仕方やビジネスモデルのつくり方としても、考えなければならない点は多々あるはずです。

けれど、東京一極集中に歯止めをかけ、地方に雇用と賑わいを取り戻す、という地方創生の目的は、一つの地域のためだけのものではなく日本全体のためのものなのです。子どもを産み育てづらい東京に人が集まりすぎていることが人口減少の一つの大きな原因であり、その背景には多様性を尊重する社会の変化についていけていない国の体制の問題がある。だから、「いいよ、そこまでしなくても」ではなく、「ここでブレイクスルーするためには何が必要なのか」をみんなで考えて、それぞれの地域が全国のモデルになるつもりでやらなければならないのです。

多様性は地方にこそある、だからこそ地方創生は日本創生なのです。

このことを多くのみなさんと一緒に考え、国の姿を変えていきたいと思うのです。

地域には「おもちゃ」が溢れている

もう一つ本書を通していいなと感じたのは、竹田市の首藤さんも秩父の丹治さんも、地域であありあまっている空き家や古民家を上手に利用して地域に活力を与えている点です。放置すれば単なる廃屋で地域の治安も悪くなる「空き家」ですが、地域から信頼を得て入手して手を入れれば、まだまだ使える物件がごろごろしています。リノベーションしても多くは新築よりもはるかに安く済み、若者たちと一緒に作業すれば楽しさとともにやり甲斐や生き甲斐にも繋がります。大家さんとうまく交渉でき、アイデアさえあれば、空き家も古民家も見違えるようになるでしょう。

つまり現在の地域には、シニアにとっての「おもちゃ」が溢れていると言ってもいい。工夫次第で活用ができ、地域に新しい魅力をもたらすコンテンツがごろごろしている。首藤さんも語っていましたが、かつての郵便局だった建物、かつての庄屋さんだったお屋敷など、その全盛時を知るシニア世代の手にかかれば、空き家もかつての魅力を取り戻します。

そんなふうにシニア世代の知見を発揮すれば、地域は変わっていくのです。

ディーゼルカーを走らせた「いすみ鉄道」

　このことで思い出したのは、千葉県房総半島の中央部、いすみ市と大多喜町を走る第三セクター「いすみ鉄道」のことです。この鉄道はかつてはJR木原線だったものを、一九八七年に千葉県や周辺自治体が出資して第三セクターとして再出発。ところが赤字が続いて「二〇〇九年度決算で収支改善の見込みが立たなければ廃止もやむなし」という瀬戸際まで追い込まれました。

　二〇〇九年五月に社長を公募し、かつて英国航空の旅客運行部長だった鳥塚亮氏を社長に招聘。そこから民間発想で煎餅や饅頭を発売したり、車内でイタリアンが食べられるレストラン列車を企画したり、さまざまな新企画を実行して経営を改善。二〇一二年には鉄道の存続が決定しました。

　その中でも私が注目したのは、二〇一八年一一月に実施した「国鉄時代のディーゼルカーの運行」でした。ヘッドマークに「京葉」と「房総」のマークをつけて走った列車は、昭和三〇年代に「準急列車」として東京と千葉県内の観光地を結んで走っていたものです。私を含めて鉄道ファンには垂涎の的となるレトロな列車でした。当日の沿線は多くの鉄道ファンや観光客で賑わい、いすみ鉄道のイメージを人々に焼き付けることに成功しました。

しかもこのとき走った列車の車両は、廃車解体されていく運命にあったものをいすみ鉄道が安価で下取りして、観光列車として復活させたもの。車両を購入したときの社長だった鳥塚氏は（二〇一八年に退任）、「億単位の大きなお金をかけて新車両を導入しなくても、田舎のローカル線ならばこれで十分に観光資源になります」と、Yahoo!ニュース（二〇一八年一一月一九日）に書いています。

言ってみればディーゼルカーは、地方に溢れている空き家のようなもの。鳥塚氏が書くように、お金のない田舎のローカル線でＳＬ（蒸気機関車）を走らせるのは無理でも、ディーゼルカーの再利用（リノベ）なら可能です。仮にＳＬを走らせたとしても、昨今の三〇代・四〇代の若者はＳＬなんて見たことがないのですから郷愁を感じるはずもありません。

むしろ昭和を懐かしむ世代には、エアコンなし、窓は手で開ける、駅では駅弁売りがやってくる、車内には昭和の吊り広告といった演出をほどこしたディーゼルカーのほうが、感動ものかもしれません。

もちろん、そんな昭和趣味の鉄道の復活を喜ぶのは、ごく一握りの鉄道ファンであることは間違いありません。しかしいすみ鉄道のすごいところは、何十万人ものファンが集まる必要はない、と最初からターゲットを絞ったところです。菜の花が咲き乱れる春や、養老渓谷が真っ赤に染まる秋を中心に、週末に数百人の観光客が来てくれればいい。ニッチなファンを喜ばせるマーケットインの発想で十分存続できる。こういう緻密な計算に基づいた取り組みを続けていくことで、いすみ市や大多喜町には観光客がやってきて、関係人口を増やすことに繋げることができたのです。

いすみ鉄道は、その後も車体にムーミンの絵を描いた列車を走らせたり、車内に台湾のカラフルなランタンを飾ったりして人気を博し、房総半島の観光資源として確かなコンテンツになっています。それが大金をかけない工夫の連続であることが素晴らしいと、私は思っています。

二　地域のシンボルをなくすな

人の生涯に寄り添う鉄道

第二章で書かれている銚子鉄道のことは、さまざまな取り組みを通して「地域のためにがんばる」地方鉄道として、私も着目していました。人口減少にあえぐ銚子市にとっては、銚子鉄道はある意味でまちのシンボルです。この鉄道が生き残るか否かで、銚子というまちの将来も大きく左右されると言ってもいいと思います。

全国には中小民鉄と呼ばれる鉄道が四九社あり、第三セクターは四六社あります。そういうローカル鉄道は、人々の生活の足としても観光資源としても、地域にとっての大きな「価値」となっています。

けれどこれらの地域のシンボルを、行政が税金で支えるのには無理があります。乗りたくなる鉄道をどうつくるか。この鉄道に乗って行きたくなるまちをどうつくるか。それは住民一人一人と民間の力です。

そういう意味で私が注目したのは、千葉県佐倉市の「ユーカリが丘」という、人口約二万人が住むニュータウンの中を走っている「山万ユーカリが丘線」です。

これは新交通システムと呼ばれる無人運行の環状線ですが、一九八二年に誕生してから今日まで、ずっと住民たちの足として活躍しています。

面白いのはこの新交通システムを、ここを開発した不動産会社「山万」が経営していること。全国唯一の事例と言っていいと思います。

山万では、全国にあるいわゆるニュータウンの典型的な開発手法である「分譲撤退型」ではなく、「成長管理型」の手法でまちづくりを進めています。つまり「売ってしまえばお終い」ではなくて、「売ったあとも住民のみなさんのライフスタイルの成長変化に合わせてまちを管理していく」というやり方です。

具体的には、約二四五ヘクタールという広大なエリアを一気に開発分譲せず、長い年月をかけて段階的に売り出していったのです。一気に入居が始まると同じような年齢層が住むので、一定の年月が過ぎるとまち全体が高齢化して空き家問題が生まれたりします。そうならないようにバブル期でも分譲戸数を年間二〇〇戸から三〇〇戸におさえて、エリア内に多彩な年齢層が住むようにしたのです。

しかもエリア内の空き地には公園や保育所を整備したり、中古住宅は買い取って移住希望者に販売したりして、常に子育て世代から熟年世代までが住みやすいまちを目指しました。

最初の入居時は夫婦二人、やがて子どもが生まれたら庭付き一戸建てに移り、子育てが終わった老夫婦は駅近のマンションに移り住む。そんな人々のライフスタイルにしっかりと寄り添う不動産会社として、山万は人々の理想の住まいを「成長管理型」で支えています。

その一環として「まちのシステム」となっているのが「ユーカリが丘線」です。京成電鉄「ユーカリが丘駅」を始発として、ニュータウン内をぐるりとまわる環状線。エリア内のどの家からも徒歩一〇分以内でこの車両に乗り込むことができ、そこから十数分でユーカリが丘駅に到着します。

鉄道ファンならずとも、こういう鉄道（新交通システム）があればこのまちに住みたくなる。こういう鉄道があるなら乗ってみたい。車両に乗ることが自己目的化するのではなくて、こういう鉄道システムがあるまちに行ってみたい、住んでみたい。人々がそう思うようなまちづくりが、ローカル鉄道とともに行われている事例です。

こういう動きが全国に広がるといいと思います。各地のローカル鉄道の存続への取り組みにプラスしてこんなまちになるためには、ここでももう一押しが必要なのだと思います。

絶品駅弁で地域のファンを呼び寄せる

この章の最後にもう一つ。我が故郷鳥取の鉄道に関する考えを述べたいと思います。私が帰省する折々で利用する山陰線では、もう何年も前から駅弁の車内販売がなくなりました。最長の特急は倉吉から京都まで行く「スーパーはくと」ですが、約四時間の道中で車内販売はまわってきません。「この列車には車内販売は乗車しておりません」というにべもないアナウンスが流れるだけです。仕方なく京都とか倉吉（あるいは私が乗る鳥取駅のコンビニでサンドイッチとかを買うことになります。

そのたびに私は思うのです。せっかく山陰に来ていただいた、あるいは来ていただくお客さまに、ここで鳥取の名産品を弁当にして食べてもらうことはできないだろうか、と。鳥取のお米、牛肉、魚介、野菜、果物等々、これぞ鳥取という季節の食材を駆使して腕の立つ料理人が調理したお弁当を味わっていただけたら、こんなに効果的な鳥取のPRはないはずなのに。

「仮に一個三〇〇〇円の高級弁当になったとしても、やる価値はあるのではないか」と、私は機会があるごとに、いろいろな方にこの話を持ちかけています。

鳥取には日本穀物検定協会の「食味ランキング」で最高ランク「特A」を受賞したブラ

ンド米「星空舞」があります。本書の第五章に挙げられている元ジャイアンツの川口さんも育てているお米です。

和牛では、霜降りの風味と低い融点で驚きの「くちどけ」(油っぽくない後味)を味わえる「鳥取和牛オレイン55」がブランドです。それを車内でいただきながら、「実は鳥取はしゃぶしゃぶ発祥の地であり、全国初の牛の戸籍管理を実行して和牛の審査会で一等賞を獲得した隠れ和牛の名産地なんです」などと鳥取自慢の能書きでも話したら——。鳥取県民の誇りにもなりますし、鳥取ファンを獲得することにも繋がること必定です。

鳥取県の和牛が「肉質日本一」と言われる由縁は、その歴史にあります。西日本屈指の信仰の山・大山に、かつて牛馬を連れてお参りする風習があった。この地で盛んだったタタラ製鉄に必要な木炭を生産するために、広大な山林を伐採する必要があった。その跡地で牛馬の放牧が行われていた、等々。

このお弁当が生まれたら、知られざる(おそらく県民もあまり知らない)鳥取県の歴史PRもしっかりとできます。

もちろん魚介類はどこにも負けない豊富な種類が獲れ、冬場には蟹が楽しめます。季節の果物も豊富で、中でも秋の味覚の梨「二十世紀」は、鳥取県が圧倒的な全国シェアを誇っています。

日本海を眺めながら山陰鉄道に揺られ、鳥取の美味しい食材を食べて豊饒な物語を楽しんでいただく――、こんな効果的な鳥取のPRはないし、ここで味わっていただけたらネット通販で食材を買ってもらうこともできる。「和牛の肉質日本一」と言ったら、海外からのお客さまも増えるはず。これらを返礼品としたら、ふるさと納税額も増えるだろう――、いいことばかりじゃないかと、私は思うのです。

けれど私がいくら言っても、この意見に反対を唱える人こそいないものの、JR西日本もJAも民間企業も、これを実現しようと動き出したとはついぞ聞かれません。よし、やろう！　という人が一人も出てこない。ここでも「そこまでしなくても」という呟きが聞こえてきます。

地方を活性化するためのポイントは、この先の一歩です。この先の一押しがどうすればできるのか。

日本中にグルメがいて、海外にもそのファンが増え、ネットで物流も便利になり、ふるさと納税という切り札もできた。そういう環境は整ったのだから、「食」による日本の地方創生もあと一歩だ――。

私はこの壁を、志あるみなさんと一緒に、希望を持ってなんとか乗り越えたいと思っています。

第四章　女性プレイヤーの活躍

神山典士

二〇二三年の統一地方選挙では、四つの自治体で女性議員が過半数を越えたことが話題になった。千葉県白井市、兵庫県宝塚市、東京都杉並区、埼玉県三芳《みよし》町。愛知県日進市と東京都武蔵野市議会は、男女同数になった。全国の市長選には八八人の女性が立候補し、前回よりも一人多い七人が当選。全国の市議選全体の女性議員比率は前回の一八・四%を少し上回って二二・〇%に。女性議員が二割を超えるのは史上初めてのことだという。

政治の世界での女性進出は、ようやくスタートラインについたというところか。女性の内閣総理大臣の登場も待たれるが、今後政治の世界での女性陣の活躍は、ますます広く深くなっていくはずだ。

地方創生の世界でも、女性プレイヤーの活躍が目ざましい。その特徴は、意外なところから意外な得意技を持って現れるところだ。彼女たちの多くは「好き×得意」を武器に、結果的に地方創生の最前線に立っている。

そのしなやかな姿が、地方の現場に新しい風を吹かせている。

一　全国三万ヵ所の宝探し――山城ガールむつみ氏

地元の宝物を探せ

「放置すればただのヤブ、発掘すれば地域の宝」。

さて、それは何でしょう。その答えは――？

全国に約三万ヵ所あると言われる「山城《やまじろ》」だ。

山城とは、姫路城とか松本城のように天守閣を持つ（復元も含めて）立派な城ではなく、ただの土塁や堀が残るだけの中世戦国時代の城跡のことを指す。天守閣を持つ城は主に江戸時代に建てられたものだが、それ以前の戦国時代の城にはそれらがない。正確な記録が残っていないから、再建することも難しい。

けれど山城跡があるということは、約五〇〇年から八〇〇年前に、そのエリアでは数々の戦が起こり、豪族や武士たちの勢力争いが行われていたということ。その時代の歴史を記した書物はあまり残っていないので正確なことは詳らかではないが、伝承や言い伝えで魅力的な「物語」がそれぞれにぎゅっと詰まっている。

だから山城の存在は、「歴史の宝庫」なのだ。

もちろんそういった物語は長い間忘れ去られていたものだから、いまでは地元の人にとってはただのヤブだと思われている。けれど、全国には約三万ヵ所の山城があり、約一〇〇万人の山城ファンがいると言われている。

その山城の魅力を発掘して、地域に関係人口や観光客を呼び込もう。さらには「地元にはこんな素晴らしい歴史があった」と、地域の人々のシビック・プライドに繋げようという動きが各地で始まっている。

そのリーダー（仕掛け人）の一人として注目を浴びているのが、「山城ガールむつみ」の愛称で活躍しているむつみ氏だ。


「この高台が鏑木《かぶらき》城の本丸跡です。今は埋め立てられて畑になりましたが、堀が周囲に張りめぐらされていました。一段高くなっているところには櫓《やぐら》が組まれて、椿海《つばきのうみ》から攻めてくる敵を見張っていたと思います」

二〇二二年一〇月下旬、千葉県旭市を舞台にして、小雨をついて行われたＪＲバス関東主催の「山城ガールむつみ隊長と旭市を巡る山城ガタゴトバスツアー」。

約四〇人の参加者を引き連れて、先頭に立って野山を歩いたのは、この日のガイド、歴史&山城ナビゲーターの山城ガールむつみ氏だった。

彼女は旭市エリアの中世の歴史をこう語る。

「このあたりはいまは水田になっていますが、戦国時代は椿海と呼ばれる湖で、東北に向かう人たちは潮の流れが激しい太平洋の銚子沖を通るのを避けて、船でこの湖を渡って北に向かいました。もちろん敵も湖を渡る船でやってきますから、湖の周囲の高台にはずらりと山城があったのです」

旭市でのガタゴトバスツアーの参加者と、バスガイド姿の山城ガールむつみ氏（手前中央左）

この日はその中の鏑木城、長部城、網戸城の三ヵ所を巡るツアーだった。

登山スタイルでこのツアーに参加しているのは、四〇代からシニア世代の男女約四〇名。いずれも山城ファンで、県内よりも都内や神奈川県・埼玉県からの参加者が多い。中型バスは満席状態だ。

参加者の一人の男性はこう語った。

「七年ほど前から山城ファンで、解説してくれるむつみさんのツアーには何回も参加しています。歴史小説に出てくる土地や旧跡をめぐるのは楽しいです。千葉県に来るのは三回目ですが、このあたりは戦国時代には里見氏と千葉氏の争いがあった辺りですから、魅力的な山城が多いですね」

椿海の周囲にある山城跡にてガイドするむつみ氏

参加者はみな歴史小説や資料を読み込み、史実が残っていないところは自らの想像力を駆使して、戦国時代の歴史を再現しようとする。さらに現地でむつみ氏のガイドを聞いて、自ら戦国武将の気持ちになって野山を歩いているのだろう。

では、このツアーの主催者は、どんな思いでこの企画を立案したのだろう。

主催者のJRバス関東の佐藤幸成氏はこう語る。

「はじめにお話をいただいたときは、私自身前知識がなくて、山城？ なんのこと？ という状態でした。ところがむつみさんたちから話を聞いて、面白そうだと思って思い切って企画してみたら、早い出足で申し込みが埋まったのでびっくりしました。みなさん山城ガールむつみさんのＳＮＳやブログから申し込んでくる。普通のツアーは名所旧跡を回って美味しいものを食べてというコンテンツですが、この企画は全く真逆です。それ以前は観光地とは思っていなかった場所を回り、美味しいものなんて用意しなくてもいい。思いがけないところが宝になるので、私たちも驚いています」

同社が企画するこのツアーは二〇二二年三月に始まり、隣接する多古町、匝瑳市に続いてこのときが三回目。毎回満席となる人気を受けて、来年からは同じコースで二週連続二回開催できるのではないかと、参加者の倍増を目指している状況だ。

山城ガールの誕生

では、このムーブメントをリードする山城ガールむつみ氏は、どんな経歴を持っているのだろうか。

いまでは全国各地の自治体から「うちのまちに来て、地元の山城の解説やツアーガイドをやってください」という依頼が引きもきらないむつみ氏だが、意外なことに彼女が山城の魅力に出会ったのは、実は二〇代も終わりのころだったという。

むつみ氏は神奈川県横須賀市久里浜の生まれ。三浦半島の南端にあり、千葉県金谷に向かってフェリーが出る港町だ。

多くの若者たちの例に漏れず、中学・高校時代のむつみ氏は、久里浜は何もないまちで、最果ての地だと思っていたという。

「だから大学は都内に出ましたし、卒業後は実家はありましたが、久里浜に戻るのは年に一、二度、墓参りくらいしか帰ってきませんでした」

という。

それよりも彼女が夢中になっていたのは、小説家かシナリオライターになる夢だった。

「子どものころから本が好きで、小・中学生時代に作文で金賞を取ったのが嬉しくて、いつか作家になるという夢を描いていました。大学卒業後は会社員として働きながら小説を書き、シナリオ・センターに通ったりもしていました。当時は歴史には全く興味がなくて、純文学や推理小説を書いていました」

転機になったのは、三〇歳のころだった。

推理小説好きが高じて歴史推理小説にも手を伸ばすようになり、「邪馬台国はどこにある?」とか、「東洲斎写楽は誰なのか?」といったテーマの本を読むようになった。すると興味の先に「お城」が登場するようになり、琵琶湖のほとりの滋賀県長浜市に旅行に行ったときに、地元に残る「小谷城《おだにじょう》」を訪ねてみた。

小谷城は中世三大山城の一つとされ、湖北の大名浅井《あざい》長政や戦国一の美女と言われる織田信長の妹、お市の方。さらに二人の間に生まれた浅井家三姉妹（茶々、初、江）らのゆかりの城だった。

これだけ豪華なキャストが揃っているのに、その歴史は史実としてしっかりと残っているわけではないから、自分の想像力で物語の細部をつくることができる。小説家になりたくて磨いてきた筆力に「歴史、山城」が加わることで、より活動が広がることを感じたのだ。

それからむつみ氏は、仕事が休みのたびに琵琶湖一帯を訪ね、周囲の山城を巡るようになった。

それだけではない。実家に帰ったときに、その裏山に中世の三浦一族の居城である「怒《ぬ》田《た》城」があったことを知り驚いた。

——なんだ、滋賀県まで行かなくても、地元にも山城はあるんだ！

そこから三浦一族に関する勉強を本格的に始めて、いままでは興味がなかった地元の歴史の文献や論文も繙《ひもと》くようになった。

三浦氏は、鎌倉幕府誕生に大きな役割を果たした豪族として知られている。一一八〇年、源頼朝の伊豆での挙兵に際して、三浦一族は頼朝と合流しようと出陣したが暴風雨で間に合わずに衣笠城に引き返すことになる。そこで平家の大軍勢に攻められ、棟梁が討ち死に。一族はなんとか城を脱出して安房へ逃げて頼朝と合流した。その後、頼朝は大群を率いて鎌倉に入り幕府を開く。三浦氏は頼朝の重臣として活躍した。

そんな三浦一族の持つ歴史の深さに感銘を受け、学べば学ぶほど、それを人前で話したくなってきた。気がつくと、友人・知人や居酒屋で出会った人などに、あれこれと三浦半島と三浦氏の歴史を話しかけていたのだ。本人もそんな自分の変化にびっくりしたという。

「ＯＬをやっているときは人前で話すことは苦手でした。いまでも得意ではないのですが、山城の由来や中世の歴史を語りだすと俄然饒舌になります。自分でもびっくりしますが、たぶん〝山城ガールむつみ〟というキャラクターを演じているんだと思います」

そんなむつみ氏を見て、馴染みの焼鳥屋の主人からこんな提案があった。

――むつみさん、そんなに人に歴史を話したいなら、鎌倉のまちを歩きながらその歴史を話すツアーをやってみたら。終えてからうちの店で飲み会をやってくれたら、お客さんに声かけるよ。

「やってみたいです」

と二つ返事で答えると、あっと言う間に一五人ほどのお客さんが集まり、このツアーが開催された。それが記念すべき山城ツアーの初回の開催だった。

地方創生にも関わる

そこからは、とんとん拍子にいろいろな話が進み、現在の「山城ガールむつみ」の誕生に繋がった。

ブログで三浦一族のことをあれこれ書いて発信し始めると、それを地元の「タウンニュース」の編集者が見てくれて、山城をテーマにした連載を月に一度始めることになった。その連載が縁となり、地元のゴルフ練習場の社長とスタッフが地元のよさを周囲に知ってもらいたいという理由で、むつみ氏に「歴史ウォーキング」を企画してくれた。これも二年間で四、五回開催すると、むつみ氏の中でむくむくと、「この仕事を本格的にやっていきたい」という気持ちが沸き上がってきた。

そのころのむつみ氏にはこんな記憶がある。

「まだOLをしながら歴史ツアーをやっていたころ、久しぶりに中学の同級生が集まる同窓会がありました。するとみんな「むつみちゃんは東京の大学に行っていいね。久里浜には何もない、つまらない」と言うのです。それを聞いて私は思わず「そんなことないよ。三浦一族の歴史があるよ。面白いところだよ」と力説していました。中学・高校時代には考えられないことでした。友人は私の言うことをあまり興味なさそうにポカンとしていましたが、いつのまにか私は地元を好きになっていました。でもそれも三〇歳になってから気づいたことだったので、もっと早くから知りたかった。だから、今の子どもたちにもこの歴史を伝えていきたいと思うようになりました」

そんな折に、タウン誌での連載を見た小学校の先生から声がかかり、三浦氏の歴史を学校で話す機会があった。そこから活動は二本立てとなり、大人を対象にビジネスとして歴史ツアーを企画することと、ボランティアで学校や地域の人を対象に話すことも増えてきた。

折しも日本中で若者人口の減少や地域の疲弊が話題になり、地方創生の必要性が叫ばれるようになったころのこと。山城の魅力を地域おこしのコンテンツとして活用したいという自治体が増えてきた。

むつみ氏もまた、その前後からOLを辞めて独立し、各地でイベントや講習会等を企画しながら歴史の楽しさを伝えることを仕事とするようになった。

二〇二二年の独立当初こそコロナ禍でその活動はつまずいたが、それを乗り切ったいまは、SNSのフォロワーを数千人も持つ人気歴史ナビゲーターとなった。現在の状況を、むつみ氏はこう語る。

「最近では私の知らない自治体さんからも連絡をいただいて、山城ツアーを依頼されたりします。有名ではない自治体のほうが熱意が高く、熱心にお声をかけてくださる印象です。戦国時代の歴史物語は全国どこにでもあります。歴史がない場所はないのですから。まだ地元にも周囲にも認知されていないところの物語を発掘して、「ここではこんな歴史が楽しめます」と提案していきたいと思っています」

むつみ氏の目には、山城を使った日本全国の地域おこしの姿が見えているのだ。

山城で関係人口の獲得を

たとえばその一つが、「山城ガタゴトバスツアー」があった千葉県旭市の隣町、多古町だ。

すでに三年前から地元の有志を中心に「多古城郭保存活用会」が立ち上がり、山城人気を生かして地域創生に繋げようとさまざまな活動を展開している。

代表で、町議会議員でもある高坂恭子氏はこう語る。

「町内での歴史をテーマにした活動は、六年前から歴史講座「千葉氏を探る」があり、コロナ前には一五〇人の参加がありました。そこにむつみさんとの出会いがあり、町内に三四もの山城があることを知って、これをまちおこしに活用できないかと仲間と相談したのです」

とはいえ、山城跡とはいっても地元ではただの「ヤブ」なのだから、活動当初、町民は何の魅力も感じていなかった。

こういう場合、主催者は山城跡のある土地の持ち主と交渉し、仲間を集めてヤブ刈りから始めなければならない。

高坂さんたちは、多古町に点在する並木城跡、物見台城、土やぐら城等々のヤブ刈りから手を着けた。すると地主には喜ばれ、地元でも「へぇ～そんな歴史があったんかい」と、興味を持つ人の輪が広がってきた。

山城ファンにはたまらない城郭跡。単なる階段ではない

「さらにむつみさんたちと御城印《ごじょういん》をつくりました。山城名とその由来を書いたカードをつくり、一枚三〇〇円で売ったんです。これに町内のシニア女性層が大変興味を持ってくれました」

都心から見ると、多古町は成田空港の裏側

に当たり、「裏成田」と呼ばれている。公共交通機関もバスしかなく、都心まで出るのには二時間以上かかる。

高坂氏はかつて子どもが小さかったころ、「多古を引っ越そうよ」と言われて往生したことがあったという。子どもたちにしてみたら、まちに魅力がないというのだ。

さらに二〇一一年から町議会議員になってみると、人口は減るばかり。高齢者ばかりのまちになっていくのを目の当たりにしてきた。

何かまちおこしの起爆剤はないか。そう考えていたときに、山城という鉱脈に当たったと高坂氏は言う。

もちろん多古は献上米の多古米が有名で、秋の稲刈りやジャガイモ掘りといった人気イベントはあった。移住二拠点生活の雑誌でも、人気のまちの一つに選ばれている。

「それにプラスして山城人気で関係人口や観光客がさらに増えれば――」と、高坂氏は語る。

山城をテーマに活動を始めて以降、多古町は町外にもその存在をアピールするようになった。毎年横浜で開かれ、全国から一万五〇〇〇人以上のファンが集まる「お城エキスポ」には、三年連続で出展している。

そんな中で朗報があった。

多古の山城ファンが増える中、東京の中学生が公益財団法人日本城郭協会主催の「第二一回城の自由研究コンテスト」に多古の並木城を研究して応募。見事、最優秀賞とも言える文部科学大臣賞を受賞したのだ。多古の山城の魅力が広まってきた顕著な事例と言っていい。この機を逃すまいと、高坂氏はむつみ氏と町内の山城の動画も制作し、YouTube等で流してもいる。

その成果として、この三年間で少なくとも年間五〇〇〇人は山城を目指して観光客がやってくるようになった。「多古町は何も魅力がない」と思い込んでいる町民にとっては、驚くような数字だ。

「ところが――」と、高坂氏は言う。

「町役場がまだ山城の魅力に気づいてくれないんです。歴史を周囲に浸透させて町民にも誇りを持ってほしいのに。何とか官民連携することが、来年からの課題です」

民間と行政の連繫も、このテーマで活動する全国の自治体で共通する課題の一つだろう。ただのヤブをまちおこしの宝にする取り組みは、そうそう簡単には浸透しない。けれど多古町に見るように、確かな歩みはすでに始まっているのだ。

いまだけ、ここだけ、あなただけ

「まちおこしのテーマは、いまだけ、ここだけ、あなただけです。どこにでもいつでもあるようなことをやっていても、人はまちに魅力を感じてくれません」

二〇二二年一一月五日、隣接する匝瑳市でそう語ったのは、初代地方創生大臣・石破茂氏だった。

「地方創生」をテーマとして開かれたこの講演会&パネルディスカッションには、多古町と匝瑳市の城郭保存活用会も企画者として参加した。

パネラーとして登壇したむつみ氏は、こう語った。

「私の地元横須賀市も、いままでは軍港とか海軍カレーでPRしていて、「三浦氏の山城が」と言っても誰も振り向きませんでした。でも御城印をつくり商店街で置いてもらい三浦氏のツアーを組んだら人が集まってきた。外の人が「また三浦氏を訪ねて横須賀に来たいね」と言うと、地元の人も喜ぶ。いまでは地元の衣笠商店街は衣笠城で盛り上がっています」

まさに山城は、ここだけにしかない地元の魅力なのだ。

すでに関西では、兵庫県朝来《あさご》市の竹田城が「天空の山城」と呼ばれ、ピーク時の二〇一四年には年間五八万二〇〇〇人を集めている。ＮＨＫ大河ドラマでも、二〇二〇年に「麒麟がくる」、そして二〇二二年は「鎌倉殿の13人」と続けて戦国時代が描かれて、山城ブームの一役を担った。

あとは地元が地域の宝に気づくか否か。

その宝をもとに、人々の関心を地域に持ってこれるか否か。

全ては地域の感度にかかっている。

二　「3ビズは生き方改革だ」

――埼玉県杉戸町他、「月三万円ビジネス」に集う女性たち

「得意×好き」をビジネスにする

埼玉県の東部、杉戸町と隣の宮代町を中心に、女性たちによる見えないけれど熱い波動が起きていることをご存じだろうか。それは確実に地域を動かしているから、「地方創生」の波と言っていい。

杉戸町と言えば、江戸時代から日光街道の宿場町として栄えてきた。ところが現在では、街道沿いだけでなく最寄りの「東武動物公園駅」前から伸びる商店街もシャッターだらけ。人口も減り続け、特に三〇代・四〇代の働き盛りが少ないのが特徴だ。

ところがここに、周辺の自治体からも集まってくる主に三〇代・四〇代の女性たちのグループがある。

「月三万円ビジネス」。通称3ビズ。子育て中や専業の主婦たちが自分の「得意」と「好

き」をビジネス化して、月に三万円の利益を目指す取り組みだ。

その誕生のきっかけとなったのは、杉戸町出身で都内でOLをしていた矢口真紀さんの取り組みだった。自分たちで故郷を盛り上げたいと思い、那須に住む3ビズの元祖でもある工学博士の藤村靖之さんに学んだノウハウを、地域の女性たちにシェアし始めたのだ。

なぜこの取り組みが始まったのか？　以下は、矢口さんにモノローグで語ってもらおう。

埼玉県寄居町での講演会のあと、中央が矢口真紀さん

矢口真紀と申します。「choinaca（チョイナカ）」という会社を経営し、主に子育て中や専業主婦の女性たちと、「自分の得意と好き」を使って月三万円稼ぐスモールビジネスをつくる仕事をしています。私自身はピカピカのバツなし独身です。よろしくお願いします。
もともと私は広告代理店でイベント業務をやっていました。一見華やかに見える仕事ですが、長時間労働でした。「お客さんの喜んでいる顔が見えない」虚しい仕事でした。ストレスが溜まると仕事で稼いだお金を使って飲んで遊んで発散する、そんな毎日でした。

そんなときたまたま実家に帰ってきたら、駅前が再開発され始め、「新しい廃墟」ができる姿が見えたのです。道路が拡幅されても、ここで何かやりたい若者がまちにいるわけじゃない。再開発が完成したとたんにピカピカのゴーストタウンになってしまうんじゃないか。ならば私たちが何かやってみようと思って、中学時代の友だちと「チョイナカ」を立ち上げて、地元を盛り上げるマルシェを始めてみたのです。

けれど出店してほしいとお願いした地元の女性たちは全然出店してくれませんでした。聞いてみると自信がない。私にできるとは思えない。そういう人ばかり。ならば出店できる仕組みをつくればいいと思って考えたのが「月三万円ビジネス講座」。全六回講座で、自分の「得意と好き」をビジネスにする仕組みを学ぶ講座です。

二〇一四年に杉戸町で第一回を開き、以降は埼玉県内の他の地域にも広がり、今は年四クール程度開催しています。

私自身は那須にいらっしゃる「月三万円ビジネス」（略称3ビズ）の提唱者で、発明家の藤村靖之先生にこのビジネスの考え方ややり方を学びました。その「ベッドタウン女性版」を杉戸でやりたいと思って、講座を開いたのです。

私自身は3ビズのことを、仕事のメガネを掛け替えてみる実験の場だと思っています。会社で働くのが当たり前だと思っていた人にも、その常識から外れてメガネを掛け替えてみると違う風景が見えてくる。仕事は会社に与えられるものではなくて、仲間と一緒に自分でつくるもの。その自活力や仲間力が見えてきます。身を削ってお金を稼ぐのではなくて、自分自身の存在価値を感じられる仕事がしたい。ワクワクしたい。自分も周囲も楽しくなる仕事がしたい。ものの見方を変えるだけで、一人一人にパワーが宿るのです。

専業主婦の女性たちには、「3ビズで暮らし方を変えよう」と提案しています。結婚や子育てで社会から離れてしまった女性たちは、自分には何もできないと思っている。けれどメガネを掛け替えて、自分の存在価値が感じられるようなやりたいことをやってみると、暮らしが変わる。そのためにも、仕事を自分でつくる経験をしてみようと提案しています。

もちろんフルタイムで仕事をしながら、週末だけ「得意と好き」を使った3ビズを展開してもいいし、複数の仕事をしてもいい。

そうやっていくと、それまでは「消費者」でしかなかった女性たちが、だんだんと自分で仕事をつくる「生産者」となり、人を応援するためにお金を使うようになります。同じお金を使うなら、大手のチェーン店で大量生産の商品を買うのではなく、「あの個人商店で買ってみよう」とか、「3ビズのメンバーから買ってみよう」と思うようになる。

そういうお金が回り回って自分のところに戻ってくる。

街中で応援したい人のものを買うためにお金を使えば、そこには感謝もあるし、お金を使うことが一つの投資にもなる。消費者だった女性が生産者になり投資家にもなっていく。そういう女性たちが変化する瞬間を見ているのが私には楽しいし、それがまちを変えていく原動力になっていくと思っています。

ワクワク×地域をよくする

3ビズにはもう一つルールがあります。それはビジネスにするのは「自分のワクワク」と「地域にいいこと」を掛け合わせること。周囲の人の困りごとや不便と思っていることを、自分のワクワクでどう変えられるか。失われつつある地域の伝統や習わしを再生する視点を掛け合わせたり、小さくても三方よし（自分、相手、地域）を目指そうと話し合っています。

仕事とは本来そういうものだったと思うのですが、いつのまにか利益中心になっていた。そのメガネを掛け替えようという取り組みです。

たとえば地域に屋台の駄菓子屋を開いた宍戸ゆみさんの場合。駄菓子という薄利商品を扱う理由は、「息子の下校問題を解決するため」だと言います。

彼女は、学区外の小学校に通う息子が一人で帰ってこられる場所に屋台を広げ、帰ってくるのを待っています。屋台は地域の協力を得て、夜に開店する店舗の軒先などを無償で借りて開店。「駄菓子はコミュニケーション・ツールとしては最高」だそうで、子どもたちがワクワクできる空間をつくり出し、一緒に来店するお母さんたちと会話を楽しみながら、まちの情報の繋ぎ役になっています。

彼女の本業はWebライターです。駄菓子屋での活動をライターの仕事に生かしながら、自分のワクワクと、地域の情報流通という掛け算を成立させています。

イエス・アンドで応援する

3ビズでは自分のビジネスのアイデアを考えるときに、必ずメンバーに相談して全員で考え合うようにしています。事業計画は自分一人で全部つくるのではなくて、皆で一緒に考えます。人のアイデアを膨らませるのは無責任で面白く、そして楽しい。仲間との関係性をつくるのが3ビズ講座の目的であり、話し合う風土をつくりたいと思っています。

もちろん話し合いでは相手のアイデアを否定しないで、「それいいね、もっとこうしたらさらにいいんじゃない」という「イエス・アンド」の精神で進めていく。一つのアイデアをさらによくするアイデアを出し合うことで、メンバー全員のクリエイティビティがどんどん発揮されます。

ルールは、まずは「いいね！」と言ってから始めること。相手の意見を否定しない。そうすると、誰もがやれる気になってきます。そしたらとりあえず「やってみる」。やってみると成長も早い。そういう好循環が生まれてきます。

ワールド・フード・バザール

たとえば元ツアー添乗員で世界を回っていた木村裕子さんは、地元に帰ってきて外国人と交流がないことに寂しさを覚えていました。そこでこの田舎で国際交流の場をつくろうと、各国の特徴あるスナック、いわゆる軽食をつくって販売し、マルシェでの出店をはじめました。まずはやってみる。体験し、改善して少しずつブラッシュアップしていく。その基本に乗っ取ったアクションです。

それが高じて、最初の出店から一年にして、ベトナムやセネガルやタイのスナックご飯を集めた「ワールド・フード・バザール」を開いてしまいました。チラシのデザインはデザイナーをやっている3ビズの仲間が助けてくれました。こういうふうにいろいろな面で支えてくれる仲間がいるからこんなイベントができる。夢を応援してくれる仲間の中で、自分の足で立つ。自立した人同士が手を繫ぐことで、強いコミュニティになる。メンバーには、「皆に応援されている安心感」を感じてもらうのが私たちスタッフの仕事だと思っています。

このように、勝手に行動する人たちのコミュニティが生まれると大きなパワーになります。地域ごとにコミュニティができて、他の地域と繫がっていく事例も生まれています。

いまでは3ビズは杉戸町・宮代町だけでなく、埼玉県内では草加市、伊奈町、上里町、群馬県では館林市の四ヵ所で開催しています（二〇二三年五月八日に静岡県牧之原市も加入）。

参加者は開催する自治体だけでなく、近隣の市町村からも集まってきます。現在までの参加者数は約三〇〇名。シングルマザーも増えてきていますし、下は二〇代、上は七〇代と幅広い世代の方が参加してくださっています。

ひとつ屋根の下に集う人々

私たちが活動拠点としているのは、「東武動物公園駅」から徒歩五分のところにある「しごと創造ファクトリー　ひとつ屋根の下」と名付けた、築約五〇年の建物です。もとは町営の駐輪場で、その後は観光案内所になっていました。率直に言えば魅力的とは言えない空間だったのですが、解体される予定だったところをまちにリノベーションの提案をし

気持ちのいい日差しが注ぐひとつ屋根の下のエントランスで

て、私たちに貸してもらったのです。

ここではメンバーが自分の商品を販売したり、講座やワークショップを行ったりしています。

昔はまち中にたくさんあった商店が、それぞれまちのサロンの役割も果たしていて、経済と人々の暮らしの接点になっていたと思います。そのような関係性をここでつくりたいので、毎月マーケットも開いています。とにかくメンバーにやりたいことをやってもらっています。

たとえば毎週木曜日は「針仕事の日」です。

捨てられようとしている端切れやボタンを使って作品づくりをしたり、ダーニングという修繕方法を教わりながら破れた服を直したりしています。

ものづくりが好きな人は人見知りな方も多いのですが、針でチクチクしながらものづくりをしているうちに、自然とみんな喋り出す。ものづくりを通して人との交流が生まれています。

正月前には竹林から竹を伐ってきて、門松も自分たちでつくりました。昭和テイストのスナックを企画すれば、世代を超えた人たちが立ち寄ってくれて、勝手に繋がっていく。

こういうごちゃまぜな日常の中から生まれた活動が、まちに滲みだしていくのが面白い。公園をプレイパークに変身させたり、郊外の耕作放棄地を1DAYレストランに見立てて町外の人たちをもてなしてくれたり。そんな毎日は、仕事のようであり遊びのようであり、自分の心も地域の暮らしも豊かにしてくれるのです。

もちろん運営費は行政からの補助金ではなく全て自前です。私は行政が担う公共と私たち市民が担う公共は違うと思っています。自前の公共では全ての人を受け入れることはできないし、まちの課題の一部しか解決できない。でもそれでいいんです。市民それぞれがやりたいこと、やれることから、公共的な活動を少しずつ担っていければ。これから税収が減っていく行政に依存することなく、自分たちで「ほしい暮らし」をつくれると思うのです。

人の心に火をつける

そういうことを繰り返していくと、人はだんだんとわかってきます。主役は自分たちなんだ。一人一人がまちをつくっているんだ、と。

まずは3ビズの女性たちに火がついて、コミュニティに火がついて、そうすると家族や周りの人たちにも火がついてくる。

たとえば「3ビズユース」という高校生を中心とした活動がスタートし、若者たちが「自分たちも好きな仕事をつくりたい」とゆるやかに動き始めました。町役場経由で学校に招かれて、小学校六年生の全クラスで「好きを仕事にする授業」も行いました。

3ビズメンバーの旦那さんが椅子のDIYワークショップを開いたこともあります。町役場の若手職員のみなさんは、「公務員バー」を始めました。公務員ですから、お金をとらずに純粋にシェイカーをふることを楽しんで、私たちにお酒を振る舞っておもてなししてくれるんですよ。

地元の建設会社の社長も私たちの活動に刺激を受けたと言ってくださり、平家の空き家五棟をリノベーションして複合商業施設「rocco」をオープンされ、そのうち一棟はシェアキッチンにしてくれました。そこは3ビズメンバーや地域の人たちがフードを提供できる日替わりレストランになっています。

火がついたメンバーたち

最後に、私たちのメンバーを三人紹介したいと思います。

一人は斎藤みずほさん。二〇一五年の第三期の参加者で、いまでは3ビズの運営スタッフの中心メンバーの一人となっています。

彼女はこう語っています。

「私は刺繍が好きなので、廃材でブローチをつくって販売しながら、3ビズの後輩の指導や拠点の管理をしたりして、コミュニティの中で複業をしています。つまり月三万円のビジネスをいくつか持つことで、一定の収入を得ているのです。この複業の考え方もまた、組織に依存しない働き方を目指す3ビズから学びました」

その「ひとつ屋根の下」で自分のキャンドル作品を並べて売っているのは、メンバーの一人北原智恵子さんです。彼女は自分の働き方をこう語っています。

「私は杉戸生まれ。結婚して足立区に住んでいました。ところが家を建てて杉戸町に戻るということになって、「またあの何もないまちに帰るのか」とショックだったのです。でも3ビズのことを知り、思い切って参加した結果、好きだったキャンドル作品を販売することができて、とても楽しい生活になりました」

杉戸町にある、ひとつ屋根の下。3ビズメンバーの斎藤みずほさん（中央）、北原智恵子さん（右）、真行寺さえきさん

北原さんが企画するキャンドルナイトには、七〇人もの人が集まるようになりました。そこに出店する人もいるし、焚き火を楽しむ人もいます。彼女が生み出した小さな輪が、どんどん広がっていっているのです。

同じく、手づくりの糸ボタンを販売している真行寺さえきさんはこう語ります。

「自分でビジネスを始めて街中の個人商店が愛おしくなりました。大きなスーパーで買い物をするよりも、個人でがんばっている人たちを盛り上げたい。3ビズに集った三〇〇人の仲間の中でも経済が回ります。そうやって稼いだお金は、同じお金でもOLをやっていたときの三万円とは意味が違うんです」

真行寺さんは草加市に住んでいますが、いまでは「杉戸との二拠点生活がしたい」とも言うようになりました。

この「3ビズ」は、単なる経済活動ではなく、人の生き方改革です。

そして同時に、地方創生の新たな形でもあると思っています。

第五章　異色のプレイヤーたち

神山典士

かつて地方創生の最前線に立つプレイヤーと言えば、社会活動家と呼ばれる人たちが中心だった。地方の活性化を「べき論」で語る人たちが多かった印象がある。「地方を元気にするべき」、「日本の再生は地方からであるべき」といった論調で語られていたのだ。けれど最近では、日本の普遍的な課題となった地方創生の現場では、プレイヤーたちも多彩になってきた。「べき論」ではなく、自分のやりたいことをやる。その結果が地方活性化に繋がればいい――という、これまでとは正反対の発想から地方の最前線に立つ人が増えた。

その結果、地方の現場では、異色の顔ぶれが見られるようになった。たとえば「ロック×地方創生」、「プロ野球×地方創生」などは、その典型だ。その存在は、どんな職業でもどんな立場でも、考え方とアクション次第で地方創生のプレイヤーになりうるという証左だ。

異業種からのプレイヤーの登場は、多くの人々を惹きつける力がある。

一　本気で地方創生に取り組むロック歌手・西川貴教(T. M. Revolution)

武道館で選挙活動？？？

その日の日本武道館は、ロックコンサートでありながら、さながら国会議員選挙か県知事選挙の様相を呈していた。

入り口には大きく「VOTE（投票）」と横書きされた大看板。場内に入ってコンサートが始まると、ステージ中央に立ったのは、ダークブルーのスーツに身を固めたロック歌手、西川貴教《たかのり》（T. M. Revolution）だった。

もちろんバックにはフルバンドを従えている。大音量で音楽が流れ、歌も歌うのだけれど、バンドの姿は分厚い真っ赤なカーテンに仕切られていて見えない。

西川はステージ中央に用意された選挙演説を行う演台に立って、選挙に立候補した政治家よろしく、まずこう雄叫びをあげた。

「大会にお集まりの党員、党友のみなさま。私西川はここに令和四年度、第二一回「新党改革」全国大会の開催を宣言いたします。（中略）改めまして、「新党改革」総裁の西川貴教でございます。お蔭様を持ちまして、令和五年、二〇二三年の今年、地方政党「新党改革」は、立党から二五年と二年を迎えようとしております。（中略）思い返せば一九九六年の結党以来（＊この年に西川はT.M.Revolutionとしてデビュー）こんにちに至るまで、「私西川は、党員党友のみなさまの意志の象徴であり、また同時に、みなさま一人ひとりが党そのものである」と折に触れて申し上げてまいりました」

西川のコンサートを初めて経験する私には、その姿は異様に映った。けれど武道館を満員にしたファンたちは、歌と演説が交互に繰り返されるその演出を無邪気に楽しんでいる。後述するようにここ十数年間、西川は故郷滋賀県を応援することを一つのテーマとして歌手活動を続けてきた。二〇二一年の春から、滋賀県内にて同じ演出の今回の「VOTE（投票）」というライブが始まった。ロックと政治の組み合わせには違和感があるが、ファンたちはそれを受け入れている。この日のコンサートも、ファンにしてみれば西川の「いつもの姿」なのだ。

コンサートの途中では、舞台の袖から選挙カーも登場した。その台上に乗った西川は、会場内をゆっくりと走る選挙カーの上でも、ハンドマイクを持ちながら叫び続ける。一連のアジテーションの中には、こんな台詞もあった。

「いま現在も社会は、新型コロナウイルス感染症の蔓延《まんえん》以降、大きな改革を余儀なくされております。特にスポーツやエンターテインメントを取り巻く状況には、いまだ厳しい目が注がれ続けております。その影響を受け、多くの企業、店舗を抱える大都市圏のみならず、地方の経済も完全に疲弊しきっております。（中略）あえて言おう、必要なのは「机上で積み上げられた焼き増しの正論」などではなく、傷みを伴う覚悟であると。（中略）なせば成る、なさねば成らぬ、何ごとも、成らぬは人の、成さぬなりけり」

本物の議員さながらに、いやそれ以上の熱量で、西川は会場を（国民を）鼓舞しながら、ロックコンサートは続いていくのだった。

そんな西川の地方創生への熱き思いは、普段はどんな形で発揮されているのか。故郷滋賀県でのとある日の西川の姿を追ってみた。

バーチャル知事として

「来た来た来た〜、ほんとうに西川さんがやってきた〜」

芸能人御用達の、窓がスモークになっている大型バンから、ロック歌手西川貴教が降り立った。ここは滋賀県長浜市木之本の商店街。その姿を確認した街道沿いの老舗パン屋「つるや」の若主人西村豊弘さんが、思わず歓声をあげた。

木之本は大津市から北陸に延びる北国街道沿いにあり、築二五〇年を超える酒屋や薬屋が並ぶ古い宿場町だ。その中にある「つるや」も創業七〇年を超える老舗だ。

知事姿での番組のロケ中に、つるやの西村さんと

東京から列車で向かえば、新幹線を米原で降りて北陸本線を約二五分。琵琶湖を左に眺めながら、車窓には日本の古き良き風景が広がっている。

シャッターを閉めた商店が少なくない街道筋では、この日西村さんが叫ぶ前には、人っ子一人誰の姿も見えなかった。ところが西村さんの声を聞きつけたのか、どこからともなくじわじわと人が湧いてきた。子どもを連れた若い主婦や、学校帰りの中学・高校生たちが、目ざとく西川の姿を見つけて集まってきたのだ。

——それにしても、全国のドームや武道館を満員にするスーパースターがなぜこんな小さな田舎町に？

このまちではひときわ異彩を放つオーラを持つ西川の登場に喜びながらも、誰もが不思議そうな表情だ。

実は西川は、自身がパーソナリティを務めるBSテレビ番組「西川貴教のバーチャル知事」（BS Japanext、263ch）の収録でこの地にやってきた。BS Japanext は二〇二二年三月開局の新しいBS放送局で、この番組は開局と同時に始まった。西川は地方創生を担う知事に扮して、メインパーソナリティを務めている。ロケ中も知事らしくブルーのスーツに身を固め、胸には「バーチャル知事バッジ」が光る。

この番組で西川は、故郷の滋賀県内をあちこち訪ね歩く。そこで目にした県内のさまざまな課題、たとえば「若者の移住者を増やすにはどうしたらいいか？」、「森林資源をビジネスに生かすアイデアは？」、「琵琶湖の自然環境等を守るには？」といったテーマで取材を重ね、番組にやってきたゲストたちと議論したり解決策を提案したりする。

この回は、滋賀県長浜地域で古くから愛される地元密着の人気のパンをさらに改良して、その魅力でファンを長浜に呼び込もう、そこから関係人口を増やそうという企画だった。そこで西川は、木之本を初訪問することになったのだ。

もともと「つるや」は、他では味わえないユニークなパンづくりで古くから人気だった。たくあんを入れたサラダパン、ハムカツチョコ、魚肉を使ったサンドウィッチ、丸い食パン等々。大人から子どもまで愛される特徴のあるパンを製造・販売してきた。大量生産する大工場を持たないから、販売はほぼ県内のみ。西川自身、子どものころから愛着のある味だったという。

このロケ中も、「サラダパンを一〇個」とか、「ハムカツチョコを一五個」とまとめ買いする大人たちが次々と店舗にやってきた。

そんなにたくさんどうするんですか？　と聞くと、「訪問する会社で皆で分けて食べてもらう」とか、「親戚の集まりで皆で食べる」といった答えが返ってきた。

それほどこの地域で誰にも愛される名物パンなのだ。

さらに今回、西村さんたちは番組用に地元の名産「丁稚羊羹《でっちようかん》」や「アドベリー」（果物）を使った新商品を開発した。

西川は、工場でそれらを試食して、「もうちょっとこうしたほうがいいのでは」とか、「この味はお子さんにはいいね」といったアドバイスを繰り返す。地元密着の人気パンを新たに生み出して、「滋賀県民に故郷への愛着とプライドを感じてもらおう！」という企画なのだ。

つるや本店の店内。次々とパンを試食する

なぜ西川は、広い県内で木之本と「つるや」をロケ地に選んだのだろうか。

西川との出会いを、西村さんはこう語る。

「最初の出会いは一四年前でした。他のテレビ番組で、当社のパンを地元の名物として紹介してくれたのです。そのご縁でお礼をしたりして、関係ができました。

その後西川さんが滋賀県内で始めた「イナズマロック フェス」でも、弊社のパンを販売させていただくようになりました。その売り上げは西川さんが進めている琵琶湖の環境保全のために寄付したりして、西川さんの活動に賛同しているのです。

この番組でも弊社の定番のパンに代わるご当地パンを考えようという企画をいただき、今回試作品をつくることになりました」


冒頭に記したように、当初は閑散とした街道筋だったが、「西川貴教がいる！」という情報がSNSやライン等で拡散したのだろう。ロケが進むにつれて、つるやの周辺は学校帰りの小・中・高校生たちや買い物途中の若い主婦たちが群がって、すごい熱気になった。

西川が歩道を歩くと、近隣の学校の校舎からは、「たかのりさ〜ん」と黄色い声が飛ぶ。西川が手を振ると、さらに声援はヒートアップするばかり。人だかりもできて、ロケは予定通りに進まないほどだ。

この光景を見ていると、滋賀県内では、西川は単なるロックアーティストではないようだ。ロックフェスを開催したり、週に一度のこの番組を通して県民と触れ合ったり、芸能人というよりも、もっと身近で誰もが親しみを感じる存在になっている。

では「バーチャル知事」の番組では、ロケした素材をもとにスタジオで西川とゲストはどんなやりとりを交わしているのだろうか。

石破茂がゲストとして登場した回（二〇二三年三月二五日放送）を振り返ってみよう。

ほとばしる滋賀県愛

小雨降る冬の日、東京・茅場町にあるスタジオでは、「バーチャル知事」の収録が行われていた。この日のテーマは「滋賀県にキッチンカーを普及させるためにはどうすればいいか？」。ゲストに呼ばれたのは初代地方創生相・衆議院議員の石破茂だった。

二階にある広いスタジオに入ってきた西川は、冒頭から興奮ぎみだった。

西川「ぼくの番組にこんな方が来ていただけるなんて、自分で驚いています。この番組はそんなにすごい番組でしたっけ？（笑）本当は滋賀県のことをチクチクやっているだけの番組なんですけど。こんなところに来ていただいて、今日は本当にありがとうございます。自由民主党衆議院議員石破茂さんです」

石破がスタジオに現れると、西川ら出演者たちから大きな拍手が沸いた。

「バーチャル知事」収録中の西川貴教氏と石破茂氏

石破「こんにちは。西川さんのことはテレビで見ているだけで、その活動はあまり詳しく知らないのです。なにしろ私は女性アイドルしか知らないものですから（苦笑）」

西川「石破さんは滋賀県とのお付き合いや繋がりはいかがですか？」

石破「なんだか滋賀県にはやたらと行きますね。昔自民党がボロ負けして野党になったことがあって、滋賀県選出の自民党の国会議員がゼロだったことがあったんです。そのころ私は自民党の政調会長をやっていたものですから、国会議員が誰もいなければ大変だということで、国会議員選挙が党本部直轄となったので、そのときはしょっちゅう行きました」

西川「滋賀県に対してはどんなイメージをお持ちですか？」

石破「私は鳥取出身ですから学生時代に修学旅行で関西に来ました。でも奈良、京都、大阪には行くけれど、「ここまで、以上」で絶対に滋賀県には行かなかった」

西川「そうなんですよ。日帰りできる距離だからぜひ来てほしいんですが。そんな滋賀県に「キッチンカーを普及させるためにはどうすればいいか？」が今回のテーマです。二〇二一年五月に滋賀フードトラック協会ができて、飲食ビジネスの発展を目指そうという機運になりました。石破さん、滋賀県とキッチンカー、どう思われますか？」

石破「キッチンカーと言えば、滋賀県長浜市浅井町の兼業農家の二〇代・三〇代の若者たちが、クラウドファンディングであっと言う間に五〇〇万円集めたらしいんです。そして始めたのがゲリラ炊飯専用バス。そのお金でバスを買って、近江米を羽釜で炊いてくれるキッチンカーに仕立てた。薪と羽釜ですよ。土鍋じゃない。これがめちゃくちゃ美味しくて、そのバスが突然大手町とか永田町とかに現れるらしいんです。どこに行ってもやたらめったらウケていて、長蛇の列ができる。この人たちが言っているのは、ライス・イズ・コメディ。米づくりは喜劇だ！」

西川「なるほど、ドラマにしているんですね」

石破「食べてみたらすごく美味しいので、大人気ですよ。近江牛だと高すぎるんだろうけれど、米ならね。お握りでいいんだから。こんなキッチンカーがあちこちにゲリラ的に現れたら、これはめちゃくちゃ面白くないですか？」

西川「そうですね。ぼくらも滋賀県の魅力が詰まったキッチンカーをつくりたいと思っています。ここで滋賀県フードトラック協会理事の新田日佐光さんに最近の動きを聞いてみましょう」

と、ここでひとしきり滋賀県のキッチンカー事情の話題が続く。新田氏から「キッチンカーは戦車だと思っている。機動力があって非常時には災害の最前線で使え、温かい料理もできる」という発言を受けて、

石破「いや〜それは面白いな〜、キッチンカー＝戦車ね。自衛隊にも炊飯車というのがあるんですが、数が足りないんです。災害のときに毎回毎回お弁当では被災者の心が折れちゃうんですね。やっぱり温かくて美味しいものを食べたくなるので、そういうときにキッチンカーが出てきてくれると嬉しいですね。そこに何か楽しいイベントも組み合わせて、被災者の生きる希望になったらいいですね」

西川「そうですよね」

石破「キッチンカーのネットワークをつくって、みなさんがキッチンカーイベントをやったという大津市から内閣府に地方創生の提案書を出してみてください。最近は企画の中にデジタルの要素を組み合わせないといけないらしいんですが。（中略）

大津って面白いところで、戦災を受けていないんですね。京都や金沢と一緒で、古い町並みが残っている。確か大津百町ってあったと思うけれど、まち全体を旅館にしちゃえって取り組みをしていますね。古民家を寝室にして飲食店を食堂に。廃業した銭湯は大浴場だってね。そこへキッチンカーが登場すると、イタリアン、和食、中華、なんでも食べられるということになりますね」

西川「リピーターで大津市に来ていただくなら、今月は中華で来月はイタリアンとか。あるいは移動レストランもできますね。（中略）

滋賀県のもう一つの課題は、他県の方々にいかに滋賀に滞在してもらうかということだと思っています。人口増加率は高くて税収もそこそこあるんですが、観光をＰＲすることが下手ですね」

西川がそう振ると、滋賀県に対する石破の博識が披露された。

石破「滋賀県というと、他県の人にすると、琵琶湖、ひこにゃん、「それで以上！」、みたいなところがありますね。その内実は、人口はあまり減らない、所得も高い、いろいろなことに恵まれちゃって「ガツガツしないでいいや」みたいなところがあるんじゃないでしょうか。

でもすごく特徴があって、国宝とか重要文化財の数で言うと、東京、京都、奈良に次いで全国四位です。日本一綺麗な観音様は滋賀にあるんです。十一面観音。すごく綺麗なんだそうです。

文学でも、琵琶湖を題材にした作品はすごくたくさんあります。私は井上靖や三島由紀夫が好きなんですが、井上靖さんの晩年の作品で「星と祭」というのがあって、琵琶湖を舞台にした名作です。三島由紀夫の作品では、昭和二〇年代の滋賀の紡績工場での大労働争議があって、それを題材にした「絹と明察」がありますね。

もちろん戦国の武将を見ても、私は石田三成がすごく好きなんだけど、滋賀県は武将巡りをしても面白いですね」

西川「さすがに石破さんは滋賀県に対する知識も愛情もすごいですね。そういう素晴らしいコンテンツがあるのに、滋賀県は全くアピールしていませんでした。すみません（苦笑）」

石破「確かにそういう魅力を滋賀の人からアピールされたことはないですね」

西川「なかなか滋賀県人からアピールすることはないですね。歴史で言えば、安土桃山時代なんて県内の地名が入っているのに、アピールしたくてもいまや市町村統合で安土という地名が近江八幡市の一つになってしまったり。そういうところが観光と連動できていませんね」
石破「やはり恵まれている県はそうなんですよ。滋賀県の場合、魅力はたくさんある。でもその打ち出し方に課題がありそうですね。さきほどの近江米のキッチンカーが来たら、私なんかすごく嬉しいですけれど。ぜひ近江米を食べに行きたいと思います」
西川「やはり観光には物語性があったほうがいいと思うんです。だから石山寺、紫式部といったパターンだけではなくて、いま伺ったいろいろな物語の中に描かれている滋賀県を探っていって、それを組み合わせる観光コースとかがあってもいいのかもしれませんね。すごくいいアイデアをいただきました」
石破「滋賀には、確かオランダのような大規模なバラ園をやっている方がいたはずです。女性だけでやっているいちご園もあったかな。女性ならではの感性で、本当に美味しくて綺麗ないちごをつくっていたはずです」
西川「滋賀県は、いままでは新幹線の駅は米原しかありませんでしたが、今度は北陸新幹線が敦賀のほうから滋賀県北部に入ってくる。今後はそちらも開けそうですね」
石破「そうそう、北陸新幹線が金沢から降りてきたら、それをどう滞在型の観光に結びつけるのかが課題ですね。

たとえば戦国時代の武将巡りを考えるなら、石田三成の親友で大谷刑部《ぎょうぶ》(吉継《よしつぐ》)のファンはけっこういるんです。刑部を巡るルートは滋賀県以外のどこでもできないんです。それもやったらいいと思うなぁ。

あるいは石田三成がここから琵琶湖を眺めただろうとか、明智光秀がここから奥さんと一緒に琵琶湖を見ただろうなぁとか。そういう体験ができるのは滋賀県以外にはないですからね」

西川「確かにそうですね。琵琶湖があるので、そこにまつわる企画はいろいろありますね」

石破「『琵琶湖周航の歌』コンテストとかやったらいかがですか?」

西川「石破さんは意外と歌っていらっしゃると聞きました。『琵琶湖周航の歌』はぼくらは小さいころから歌っているので、もう当たり前になっちゃいましたが」

石破「我々おじさん世代だと、飲むとやっぱり歌っちゃうんですよね。これ、合唱すると感動しませんか?」

西川「ぼくらはもう刷り込まれていますが、この歌は実は何番まであるんですよね」

石破「そうそう、六番まである。私は四番以降は歌詞を見ないと歌えないけれど」

西川「えっ? 四番までご存じなんですか!! それはありがとうございます」

意外なところで石破の滋賀県好きが証明された。

石破「歴史って、都の偉い人は変えないんです。都の人はいまが一番いいと思っているんだから。いつの時代でも、歴史を変えていくのは地方の一人一人だと思います。その意味で滋賀は本当にポテンシャルがすごくあるなと思います。あと、美味しいブラックバスを一度食べてみたいですね」

西川「あれは意外とクセがなくてフライにしたりすると美味しいですよ。ほんらい、琵琶湖に放流されたきっかけは、日本の食料危機を救うという理由でしたから」

石破「でも、滋賀に来ても鮒鮨《ふなずし》は出てきても美味しいブラックバスはなかなか出てこないんだ。ブラックバスに合う日本酒とかね。ジビエも一緒で、食べたら美味しかったとなると話は変わってきますから。美味しいブラックバスのキッチンカーとか、ジビエのキッチンカーとか。滋賀県でやったら面白いですね」

西川「石破さん、今日は新しい提案もありがとうございました。また番組に遊びに来てください。お待ちしています」

地方創生への歩み

こうした言動でわかるように、現在の西川は故郷滋賀県愛の塊であり、地方創生を本気で考えている。なぜそんなロック歌手になったのか、その歩みを振り返ってみると——。

西川は、実は二〇〇八年から「滋賀ふるさと観光大使」を務めている。よくある名前だけの大使ではなく、〇九年からは毎年九月に県内で、西日本最大級の三日間で約一五万人を動員する「イナズマロック フェス」も開催している。途中コロナによる中止もあったが、二〇二三年には一五回目を迎える。地元の自治体や企業とも連携して、大きな経済効果を生み出すイベントに育て上げた（二〇二三年は一〇月開催予定）。

さらに二〇二二年三月からは、ここに記した番組「バーチャル知事」がスタートして、全国に滋賀県の魅力を発信し始めた。いまではすっかり滋賀県の「地域創生」の顔なのだ。ロックアーティストと地域創生。他では聞き慣れない組み合わせだけれど、番組は企画も内容もものすごく真剣で、石破も含めてゲスト出演者は誰もが「こんなに真面目な番組だったのか」と驚いている。

西川の発言もいたって真面目だ。「つるや」でも、「このパンの味はいいけれど、材料は安定供給できるの？」とか、「コンビニがこれだけ普及しているから、どの商品も全国画一的になっちゃった。だから逆に地域独自のパンが人気になる。地元食材を使うことが大切なんだ」等、的確なアドバイスを繰り返す。

西川がこれほどの故郷滋賀県愛に目覚めたのはいつから、なぜなのだろうか？

インタビューでそう問うと、西川はこう答えた。

「最初は母親が病気で倒れたことでした。自分で面倒を見たかったので家族と過ごす時間を少しでもつくりたいと、故郷でのロックフェスを企画しました」

ところが開催当初は赤字続き。四年間は西川の事務所で赤字を補填したし、観客動員も伸び悩んだという。それでもがんばる西川の姿が県民と関西圏のファンに浸透して、今日の規模になってきた。

「バーチャル知事」の誕生の由来も、西川の故郷創生への思いが詰まっている。

スタッフの一人はこう語る。

「当初は西川さんに全国の人気のまちを歩いてもらおうとか、いろいろ考えました。ただ西川さんの故郷に対する思いがものすごく熱かったんです」

この番組の誕生前に、西川とスタッフは四回の打ち合わせを重ねたという。その全ての会議の中で、西川は一貫してこう言った。

「本当にやりたいのは、故郷滋賀県密着の番組です。どぶ板営業のように地域を回って、本当にどうしたら地域が蘇るか。とことん地域と付き合ってみたい」

この一言で、全国放送でありながら滋賀県を隈なく回るこの企画が決まったのだ。

実は西川は、二〇二〇年からのコロナ禍にあってコンサート活動が思うようにできなかったとき、滋賀県内の自治体を自ら回って首長や市民たちの声を直に聞いてきた。

一四年間続くイナズマロック フェスの終了後にも、毎年県内各地を回ってその実情を視察している。

滋賀県は琵琶湖で有名だけれど、「自分の地域や特産品に愛着は持っていてもそれを外に主張しない県民性がある」、と西川は感じていた。

もちろん滋賀県でも人口は減少している。各地の商店街もシャッターを降ろした店ばかりだ。この日ロケをした木之本地区でも、かつて一〇〇〇人はいた小学校の児童が三〇〇人程度になった。商店街も空き家や空き地が目立つ。都会の大学に進学した若者は戻ってこない。まちは高齢者ばかりだ。

それだけではない。大津や栗東《りっとう》地域の若者は、東京に行くと「京都から来ました」と言ったりする。滋賀というよりもわかりやすいからと、自ら卑下してしまうのだ。関西で企画される大規模なイベントも、名古屋の次は滋賀県を通過して京都や大阪に行ってしまうことが多い。

そういう状況を見て、西川は声を絞り出すように語る。

「同じようなことは他の地域でもあると思うのですが、滋賀県民はもっと声を振り絞って滋賀県愛を叫ぶべきです。故郷への愛情は秘めなくていい。この番組をきっかけに、滋賀県民が受け身ではなくて、自発的に自分の地域の問題について考えてくれるようになれば嬉しいです」

西川自身、滋賀県が抱える課題には具体的に取り組んでいる。

イナズマロック フェスでも、二〇二二年には「カーボンオフセット」を導入した。

駅と会場を往復するシャトルバスと会場内の電気等で、約三〇トンの二酸化炭素が排出される計算だった。

それに対して、滋賀県の林業を守るために生み出された「びわ湖カーボンクレジット」をイベントに協賛する銀行が購入して、イナズマロック フェスに拠出してくれた。その購入費分が、琵琶湖の環境を守る資金として寄付されたのだ。

そうした具体的に故郷を思う西川の姿勢は県民にも伝わり、たとえば「つるや」ではイナズマロック フェスの売り上げの一部をびわ湖の環境を守る「マザーレイク基金」に寄付したり、地元の近江高校が甲子園で活躍したときには、西川が購入したイナズマロック フェス仕様のサラダパン九〇〇個を、全校生徒に提供したりもした。

二〇二二年の甲子園において、近江高校は春は準優勝、夏はベスト4と大躍進した。その近江高校の応援席では、西川のヒット曲「Hot Limit」が演奏された。

さまざまなシーンで、西川は多くの世代から、「滋賀県といえば西川貴教」と言われるような存在になりつつある。

「滋賀県の課題は全国の課題です。この番組はやがて四七都道府県の地方創生をテーマにしていきたいと思っています」

と西川は言う。

その言葉を聞きながら思ったことがある。

かつて一九九〇年代後半、西川はT. M. Revolutionという名前で活動を開始した。それは「貴教メイクス革命」という意味だった。

高校を卒業後、歌手を目指して滋賀県を出ていくときには、西川はもう二度と故郷には戻らないと覚悟を決めて、東京で音楽界に革命を起こそうとしたのだ。その思いを込めた名前を背負って。

けれど今回、その名前の今日的な意味を問うと、真剣な表情でこう語った。

「あれから二七年たって、これからこそ地域創生という本当の意味での革命になるのかもしれません」

ロックを歌いながら、故郷滋賀県の、ひいては日本全体の地方の再生を目指す。

西川の不退転の歩みが、今日も続いていく。

二　プロ野球カープとジャイアンツのエースのふるさと移住
――鳥取県鳥取市、川口和久夫妻

母の葬儀をきっかけに

コロナ禍が全国に広がっていた二〇二〇年一一月のこと。

かつてプロ野球広島カープと読売ジャイアンツの投手として活躍し、引退後はジャイアンツのピッチングコーチも務めた川口和久氏（当時六〇歳）は、母の葬儀に出席するために一家で故郷の鳥取市に帰省していた。

そこには、家族仲の良さを物語るように、一族約四〇人がしめやかな中にも和やかな雰囲気で集まっていた。そのフランクなやりとりを聞いていて、川口氏の妻淳子さんには、感じるものがあった。

「改めて家族っていいなと思ったんです。お義母さんの生前ももちろん皆仲良かったし、私にもよくしてくれました。みなさん鳥取を中心に生活されていて、いつもこんな調子で集まっているんだろうなと羨ましく思いました。こんな親戚との関係を娘たちにも味わわせてあげたい。そう思って、思わず夫にこう言ったんです」

――ねぇお父さん、私たち鳥取に移住しない？

淳子さんは思い切って、夫の故郷の鳥取への移住を提案したのだ。一般的に言って、妻から夫の「故郷移住」の提案をしてくるのは珍しい。普通は夫が故郷へ戻りたいと思っても、妻が反対して計画が流れることが多いと言われている。日頃の夫婦仲の良さがこう言わせたのだろうか。

収穫前の星見舞を手にする川口夫妻

とはいえ、驚いたのは川口氏だった。

確かに故郷に戻れるのは嬉しいけれど、高校を卒業して以来ずっと広島県と東京圏（神奈川県川崎市）で生活してきたから、故郷鳥取の生活に馴染めるのか？

そう思った川口氏は、そのときから月に一度、夫婦二人と愛犬・愛猫とともに、愛車で八時間かけて鳥取に実験的に帰省するようになる。

はたして還暦を過ぎて故郷で暮らしていけるのか——。不安も大きかったという。

ところが。

一八歳の高校卒業以来四十数年ぶりの故郷鳥取は、刺激に満ちていた。これまでも実家に帰省することはたびたびあったが、それは「旅人感覚」の訪問だった。今回「生活者目線」で故郷のまちに戻ってみると、親戚との付き合いだけでなく見るもの・やることが全て新鮮だったのだ。

夏は家から五分で、水着のままで海水浴に行ける。

趣味のゴルフも海釣りも、移動の渋滞なしですぐにできる。もちろん満員電車に乗る必要もないし、そもそも満員電車が走っていない。

食べ物は、お米も野菜も魚も果物も全て美味しい。ノドグロ、マツバガニなど東京では高級な食材も地元では激安だ。さらには牛肉も、全国的に見て鳥取和牛は肉質ナンバーワンと言われている。実は鳥取は古くから和牛の産地として知られ、全国各地のブランド牛の始祖になっているのも、鳥取の種雄牛《しゅゆうぎゅう》なのだ。

これだけ美味しい食事をとりながら、生活費は都内の三分の一もかからない。

問題は、都内に残した仕事だった。シーズン中は野球の解説が月に数回あり、雑誌への執筆等もある。はたして移住しても、これらの仕事には支障は出ないだろうか。

けれどそれも杞憂だった。鳥取に来てみれば空港まで車で一〇分。駐車場も格安だ。そこから飛行機に乗り込めば、約二時間後には都心を歩いている。

たとえば千葉にあるZOZOマリンスタジアムまでは、川崎市の自宅からは車で往復三時間かかっていた。ところがいまではナイターの仕事が終わってから都内で一泊し、翌日の早朝六時台の飛行機に乗れば八時台には自宅に戻ることができる。すぐに身支度すれば、遊びにも行けるし、後述するように田んぼに出ることもできる。

もちろん交通費と宿泊費はかかるけれど、満員電車や車の渋滞でストレスを感じることもない。

「これならほとんど問題はないな」

川口氏がそう思うようになるまでに、それほど時間はかからなかった。ほどなくして、発想は逆転していた。

「なぜいままで都心で暮らしていたんだろう？　鳥取のほうが生活しやすいのに」

こうして母の葬儀から一一ヵ月後の二〇二一年一〇月、二人は鳥取市内に大きな駐車場のある中古住宅を買って、鳥取県民になった。

それは川口氏にとって、第三の人生だという。一八歳以前の故郷で暮らした第一の人生と、社会人、プロ野球選手、解説者として都心で暮らした第二の人生。そして還暦を過ぎてからの第三の人生。

川口氏の決断を知って、地元の新聞はこう書いた。

「故郷鳥取に移住した川口和久さん、人生終盤の「メークドラマ」に挑む」

記事はこう続く。

――五五万人の人口が四七都道府県で最も少ない鳥取県に強力なリリーフが現れた。一九八一〜九八年にプロ野球の広島、巨人で投手として活躍し、一三九勝を挙げた川口和久さん（六二）。昨年秋に巨人時代から住む川崎市から妻、三女と一家三人で故郷の鳥取市にUターンし、県から移住のPR大使を委嘱された。（中略）野球解説や雑誌のコラム執筆などは従来通り。東京の会社で働く三女は家でテレワークを続ける。ライフスタイル重視の、今ふうの移住なのである。

（読売新聞オンライン、二〇二二年三月二一日）

一九九六年、最大一一・五のゲーム差をひっくり返して優勝した長嶋ジャイアンツ。そのときの胴上げ投手でリリーフエースだった川口氏の存在を、長嶋監督の「メークドラマ」という言葉にもじって伝えているタイトルだ。マスコミ的には、それほど大きな「野球界の大物の移住」というニュースだったのだ。

ところが鳥取に戻ると、友人や知人たちはそんな騒ぎとは無関係だった。誰もが「和ちゃん、淳子ちゃん」と呼んでくれる。野球界では「カワ」、「グッチ」と呼ばれていたが、その呼び名よりもはるかに解放された日常がある。

川口夫妻に躊躇《ちゆうちょ》はなかった。六二歳の川口氏は、家族とともに鳥取で第三の人生を謳歌し始めた。

移住で宿った三つの夢

「えっ、あのご夫婦、元ジャイアンツの川口さんご夫妻なの?」

鳥取市の移住相談窓口で、スタッフの驚きの声があがったのは二〇二一年秋のことだった。川口氏は、自ら市や県の移住担当の窓口を訪ねて、移住の注意事項を聞いたりした。空き家探しも自分で行った。

自治体の担当者には、移住に関してその胸に宿った三つの夢を相談したという。

一つはアマチュア野球のレベルが低いと言われる鳥取から、プロ選手を輩出するお手伝いをしたいということ。

移住の前から、川口氏は県内の少年野球チームから声がかかれば、ギャラは二の次にしてNOはなかった。二〇一八年には元大リーガーのイチロー氏らとともにアマチュア野球の指導者の資格もとり、NHKの高校野球の解説者も引き受けた。

「いい投手を育てたい。投手が育てばいい打者が生まれてきますから」というのが口癖だ。つまり口には出さないが、川口二世を育てたいという夢がある。

同時に「誰でも参加できる野球教室」開催を目指して、グラウンド探しも始めた。

この夢は、現在着々と成果を出しつつある。

二つ目の夢は農業だった。農地を手に入れて、米づくりをしてみたい。しかも鳥取で誕生して間もない品種「星空舞」の栽培にチャレンジしてみたい。

それを叶えるために市の相談室に出向くと、県の担当者に話が通じて「星空舞」の苗が手に入ることになった。県庁の農業担当スタッフにとっても、川口氏の米づくりは「星空舞」ブランドのPRのためには朗報だったのだ。

農地は、市内から車で三〇分ほどの実家近くにある、吉岡温泉に二反（約一九八三平方メートル）の休耕田が見つかった。この地を、兄の木村秀明氏の農業資格を使って借りて、星空舞の米づくりが始まった。

このとき川口氏が選択したのは、新人農家にはハードルの高い「無農薬栽培」だった。草取り等の手間はかかるが、川口夫妻は黙々とその作業に取り組んだ。

県の農林水産課星空舞普及担当者はこう語る。

「川口さんご夫婦は普通の農家よりもはるかに手間隙かけて米づくりに取り組んでいらっしゃいます。無農薬ですから草取りも大変なはずです。途中で何かあったらどうしようとハラハラしていましたが、時折いただくＬＩＮＥの報告などでも順調そうで、私たちも喜んでいます」

自慢のコンバイン。当初はまっすぐに走ることが大変だった

もちろん、米づくり一年生なのだから、全てが手さぐりの連続だ。「新米が新米をつくっています」と笑いをとりながら、川口氏は慣れない田んぼ作業に打ち込んだ。

当初は、田起こしするトラクターも、まっすぐに走らせることが難しかった。田植えしたあとには、八月末の台風や大雨で稲がすっかり倒れてしまうハプニングもあった。普通の農家は、倒れた稲をそのまま放っておいて時期がきたらコンバインをかける。ところが川口氏は、稲への日当たりがよくなるように、倒れた稲を一つ一つ束ねて立てた。

田んぼの水の管理も周到だ。水を入れすぎると太陽の光で水が温まってしまい、根が枯れる原因になる。兄の秀明氏のアドバイスで、夏の間には何回か水を抜き、数日後に水を入れ直す作業を繰り返した。そうすると稲は一気に成長する。

そのことを、川口氏は笑顔でこう言った。

「ストレスを与えて負荷をかけて、その試練を乗り越えたときにご褒美（水）をあげると、稲はぐっと成長する。米も人間も育てる極意は同じなんですね。それがわかったときに、米づくりの奥の深さを感じました。だから仕事で東京にいると、田んぼのことが気になって仕方ない」

もちろんこれらの全ての作業は手作業の重労働だ。けれど川口氏はめげない。苦にならない。米づくりが楽しいと言う。

「プロ野球の一流選手は切り替えが早いんです。特に投手は目の前の現実を受け止め、すぐに次の最善策を考えて実践するのみ。クヨクヨしない。めげないんです」

さらにこう続けた。

「みんなんで農業を嫌がるんだろう。こんなに面白いものはないのに。手をかければ植物はきちんと応えてくれる。日々の成長もしてくれる。私たちの仕事にありがとうと応えてくれるんだから、こんな楽しい仕事は他にはないですよ」

自ら掲げた二つ目の夢が、楽しくて仕方ないのだ。

故郷鳥取をＰＲする

さらに三つ目の夢もある。川口氏はこう語る。

「この自分の移住体験を通して、もっともっと鳥取の魅力を発信したいと思います。移住前から市や県の担当の方には、私たちにできることなら何でもしますと伝えてあります」

するとその声が平井伸治県知事に届き、二〇二二年一月には県から移住とスポーツ普及のために「とっとりへウェルカニスポーツ総合アンバサダー」に任命された。

鳥取県としても、移住人口の獲得は至上命題なのだ。

全国の都道府県の中で最も人口が少ない鳥取県では、一九九五年の約六一・五万人から二〇二〇年には五五・三万人へと長期人口減少傾向が止まらない。

鳥取県人口政策課の担当者は言う。

「平井知事の就任直後から移住者獲得に向けてさまざまな対策を講じてきました」

そこに登場した川口夫妻は、まさに鳥取県における地方創生の大きな原動力であり、期待の星でもある。

その登場とともに、朗報もある。

総務省の発表によれば、川口氏が移住した二〇二一年の人口移動報告では、東京都から鳥取県への移住の増加率は、コロナ前の一九年と比べると二五・一%の増加を記録。長野県の一九・六%を抜いて、全国一位となった。ところがその実数では七一三人と全国最下位でもある。つまり一九年以前の実数が少なく、それでいてコロナ禍での人気が高まったというデータだ。

このコロナ禍での鳥取県への移住人気の高まりは、移住支援の細やかさにあると言われている。二〇〇七年度以降、県では移住の相談機能や補助制度をさまざまに充実させてきた。一五年度からは移住者は目標を上回り毎年二〇〇〇人ペースで増えている。二二年には正社員の副業を認めた全日空空輪と協力して、客室乗務員に県庁や地元の放送局での仕事と移住を斡旋してもいる。

さらに川口氏が自らの移住体験をYouTube等で発信していけば、こんなに強力なPRもない。川口氏はこう語る。

「若い人たちに、人生の選択肢はいろいろあることを、還暦を過ぎてからの移住生活を通して伝えたいです。故郷にはこんなに豊かな自然と暮らしがある。農業にはこんな喜びがある。それを示していきたいと思っています」

移住一年目は八〇点

さて、二〇二三年には、川口夫妻の移住も二年目に入っていた。

当初の一年間のことを、どんな思いで振り返るのか。川口氏はテレビのインタビューでこう語った。

「移住一年目は自分の中ではだいたい八〇点。自分としては充実感があります。二年目を迎える二三年も同じリズムで生活すると思います。楽しく歳をとっていきたいし、年齢を重ねて体力は落ちていくけれど、その分経験とか新しいことへの挑戦とか、そういうことをやると歳をとらないいんじゃないかと思います」

そして冬場に始めたのは、鳥取県東部の若桜《わかさ》町での味噌づくりだった。自分で育てた米と、県内三朝《みささ》町でとれる甘くて美味しい「神倉《かんのくら》大豆」。そして味の決め手となる塩は「大山の藻塩」。全て鳥取産の材料を使って、川口氏は四日間かけて手製の味噌を仕込んだ。大粒の汗をかきながら作業が終了すると、笑顔とともに川口氏はこう語った。

「できあがるのは一年後です。田植えして稲刈りしてちょっと落ち着いたころ、一〇月後半にできあがってくるはず。楽しみですね」

もちろん、二二年の秋には自分で収穫した新米を食べて、至福の味も経験している。

「小さな稲穂がついたときは本当に嬉しくて……。思わず写メ撮って、巨人時代にお世話になった原辰徳監督に送りました。収穫したコメも食べましたが、今まではお腹を満たすだけのコメがこんなに甘いと思わなかった」

（フライデーデジタル、二〇二二年一一月五日号）

川口氏は、移住と米づくりを通しての生活の変化をこう語る。

「野球も人生も流れがあります。野球にたとえると、いまは六イニングス目。新たなステージで自分の流れをつくっていくという感じかな」

まさにいま、川口夫妻の「メークドラマ」は始まったところだ。

第六章

多彩・異能なプレイヤーの登場

石破茂

一　女性の感性を生かそう

趣味の活動から地方創生へ

全国各地で山城をテーマに活動している山城ガールむつみさん。この人の活動も面白いですね。

彼女とは、二〇二二年秋に行われた千葉県匝瑳市での講演会のときに出会いました。二〇代の間は普通のOLだったそうですが、故郷横須賀の山城と出会ってから山城歩きのツアーガイドやSNS等での情報発信を始めたと言います。いまでは毎週末、全国各地の自治体に招かれたり自ら出かけていって、山城ツアーをしているというから驚きです。

城郭を持たない戦国時代の山城は、本当に全国各地にあります。もちろんいまでは伝説しか残らないところや、行ってみても山の中に標識が立っているだけというようなところがほとんどです。でもだからこそ、「地元の人にとってはただの草藪。でもファンからしてみると中世戦国時代のお宝」という素敵なキャッチフレーズが生まれるし、学校で習ったり時代劇や歴史小説で見たりする日本史とはひと味違う歴史の物語が想像できるのも面白いところです。

江戸時代の記録や資料は各地でも残っているものが比較的多くありますが、戦国時代のものは全国的に見てもあまりありません。それは裏を返せば、当時のストーリーを想像できる範囲が広いということでもあります。山城の面白さは、そういうところにもあると思います。

我が鳥取県にも約五〇ヵ所のお城跡があるそうです。一般的には鳥取城や米子城、鹿野《しかの》城《じょう》、羽衣石《うえし》城《じょう》、若桜鬼ヶ城《わかさおにがじょう》などが有名ですが、そういう城郭がある立派なお城は江戸時代につくられたもので、天守閣や石垣などのなかった戦国時代の山城跡が県内には四十数ヶ所あるということです。

そう言うと、地元の人でも「へーっ」と驚きます。それほど地元でも地元の歴史は知られていないのです。城の数だけお殿様もいたわけですから、日本史の大きな流れの中で小さな領主は毛利氏につくか、それとも池田氏につくか、悩んだことでしょう。自分の故郷ではどんな殿様がいて、どんな悩みをかかえていたのだろうなどと想像するのも楽しいですよね。

ちなみに江戸時代、全国には約二七〇の藩があったそうですが、その中で我が鳥取藩は三二・五万石で、当時では一三位くらいの大きな藩でした。現在の四七都道府県で人口最少、世田谷区やどの政令指定都市よりも人口が少ないという姿からは想像できないくらい力があったのです。

そのお蔭で外様大名ではあっても位は高く、殿様が江戸城に参内するとき、普通は門で刀を置いていくものなのに、帯刀したままで許されたと言われています。

ところが明治維新後、この規模が裏目に出ます。石高の大きな地域を弱体化させるという明治政府の方針もあって、明治九年（一八七六）から一四年まで鳥取県は島根県に併合されてしまったのです。我が県の先達は、再び鳥取を取り戻すために相当な苦労を重ねました。鳥取県の新たな歴史はそこから始まるのです。

それほど強力だった江戸時代の鳥取藩の姿を語ると、多くの県民は「へーっ」と言います。本書のプロローグで「地元の問題を県立高校の入試に出してほしい」と言いましたが、江戸時代の地域の歴史も、地元の人にはぜひ知っていてほしいものです。

こういう極めて個人的趣味である「戦国時代愛」や「歴史愛」も、掘り進めていくと、今日では「故郷愛」の喚起に繋がったり、「地方の関係人口増加」に貢献したりと、「地方創生」という大きな流れに関わってくるのも面白いところです。

山城ガールむつみさんも、山城をテーマに地方を歩くことで「山城でまちおこし」という大きな流れに出会った。彼女はいま、それをテーマに活動している、地方創生の個性的なプレイヤーです。

こういう地域の知られざる鉱脈は、山城以外にもあるはずです。そういうところを掘り起こすプレイヤーにもっともっと出てきてほしい。

私は大いに期待しています。

女性が動けば男性がついてくる

山城さんのように、各地で展開されている「地方創生」の現場では、女性のプレイヤーも増えています。

本書でも、魅力的な活動を展開している女性が登場しました。

私はまだお会いしていませんが、「月三万円ビジネス」をテーマに、自分の「好き、やりたい」をビジネスにする運動を展開している、埼玉県杉戸町を拠点とする女性たちの取り組みも面白いですね。

このセミナーを受講した女性たちが、それまでの「消費者」側から、ものや価値を「生産」する側にまわり、生き方や行動が変わったという点が素晴らしいと思います。

個性的な活動で、女性らしいユニークさに溢れています。

ジェンダーフリーの大きな潮流や男女雇用機会均等法等の法整備はあっても、日本の社会はまだまだ男性中心です。たとえば地方公務員の男女比は総数約三〇〇万人の中で男性が六六・七%、女性は三三・三%。全国の地方議会でも、女性議員の割合は特別区議会で三〇・七%、政令指定都市の市議会で二〇・七%、市議会全体で一六・八%、というデータがあります。

人類の半分くらいが女性なのですから、政治でもビジネスでも、意思決定の場には半分くらい女性がいないと、より多くの幸福実現には繋がりません。特にこれだけ世の中の価値観が多様になってくればなおさらです。私もいろいろな仕事をさせていただいてきましたが、女性の斬新なアイデアやタフさ、優秀さに助けられることばかりです。

地方創生の現場においても、本書にとりあげられたように女性の感性や発想で新しい企画を立てていくことが、これからどんどん増えていくでしょう。

社会的には男性主導のように見えても、家庭内での実権は女性が持っている、ということも多々あります。女性の感性で商品開発したり、新しいサービスをつくったり、まちづくりを進めたりできれば、女性にウケる商品やサービス、まちが生まれてくる。そうすると、女性に呼びかけられて、結局男性もついてくる、ということもあるでしょう。

今後は地方創生の現場でも女性がリーダーになっていくのではないか。そうなってほしいと私は期待します。

二　異色のプレイヤー

「故郷に錦を飾る」ではない価値観

ロック歌手の西川貴教さんも面白い人ですね。

ロック界のスーパースターなのに「地方創生」をテーマに活動されていて、武道館のコンサートでも政治家に扮する演出をされたり、BS Japanext でも故郷滋賀県を元気にするというテーマで「西川貴教のバーチャル知事」（毎週土曜日、二一時から全国放送）という番組を持っていたりします。私も先日、この番組にゲストでお招きいただき、出演してきました。

実際にお会いしてみると、スターなのに全くスターぶっていない、爽やかなイメージの方でした。

彼は滋賀県の野洲市の生まれということで、毎年開催しているロックフェスティバル「イナズマロック　フェス」はお隣の草津市で開催しています。三日間で一五万人も動員す

「バーチャル知事」収録後の石破・西川両氏

るコンサートだそうで、地元への経済効果も相当なものだと思います。

西川さんは生まれ育った滋賀県が本当に好きで、どの活動も「滋賀を良くしたい！」という純粋な熱意によるもの。フェスも開始当初の赤字はご自分で負担しておられたそうです。私が出演した番組でも、どうしたら滋賀県が良くなるか、人が集まってくるか、まちが活気づくか、大真面目に議論し、徹底的に事実を調べて、実践していました。

その姿勢を見ていると、いままで日本人の価値観に影響を与え続けた「故郷に錦を飾る」的ではないものを感じます。

「故郷に錦を飾る」というのは、よそ（だいたいは東京）で成功して、ふるさとで「どうだ、俺はすごいだろう」と自慢する、ということになるわけですね。でも西川さんの場合は、矢印の方向が逆なんです。言動の原点には必ず故郷があって、むしろふるさと自慢をよそでする、というイメージ。本当に故郷が好きだという気持ちが溢れている。だから地元の人たちも気持ちよく彼に引き込まれていく。

ああいう人を、私は好きですねぇ。地方創生にも素敵なプレイヤーが現れたものだと感心しています。

徹底的に下調べしていく

滋賀県といえば、今回の地方選挙の応援で大津、長浜、米原、近江八幡等、一〇市町村くらい回りました。

地方遊説のときは、その地域のことをできる限り調べていきます。人口や産業といったデータはもちろん、観光スポット、神社・仏閣、昔話や伝説、特産品やゆるキャラ、B級グルメなどなど、地元の人が「そんなのあるの？ 知らなかった、へーっ」と呟くようなことまで調べていくのです。そうすると地元の人からは、「ここまで調べてくれたんだ」という共感を得られて、受け入れてもらうことができる。東京からぽっとやってきて地元のことを何も知らないのに「いいところですね」なんて言っても、誰も投票なんかしてくれません。地方創生も同じです。東京からやってきて上から目線で「このさびれたまちを俺たちがなんとかしましょう」なんて態度では、地域の人が受け入れてくれるわけがありません。

その地域の良さに気づき、理解し、掘り起こし、それを最大限に生かす方法を考えて、こんなに素敵なものがあるんだからもっと全国にPRしましょう、売っていきましょう、「一緒にやりましょう」という姿勢が大切だと思っています。

朝鮮通信使のまち

今回の遊説では、近江八幡市が印象的でした。

人口は約八万人。名物といえば老舗のお菓子屋さんがあったりしますが、全く違う歴史的事実に、私の目は釘付けになったのです。

このときのことを、私は「石破茂ブログ」にこう書きました。

「(近江八幡市では)江戸時代に日本を訪れた朝鮮通信使を徳川政権がどれほど厚く接遇したかの記録に接し、深い感慨を覚えたことでした」

資料によれば、江戸幕府を開いて間もないころ、秀吉の出兵で極度に悪化した朝鮮との関係を修復するために、家康はたびたび李氏朝鮮に使者を送って通信使の来訪を懇請しています。

折しも私が近江八幡市を訪れたのは、韓国からユン・ソンニョル大統領が来日した翌日でした。悪化している日韓関係をなんとか修復しようと、両国の首脳が努力したわけで、江戸時代の初期と似ていたのかなと思ったりしました。

家康もこの交渉に成功し、一六〇七年に約五〇〇人という規模の通信使が来日します。一行は海路で大阪（大坂）まで入り、淀川を上って京都に行き、そこから陸路で江戸まで向かいました。

大切なお客さまの接遇を、家康は最も信頼していた彦根藩主の井伊家に任せます。一行は彦根に一泊することになり、そのルートの途中にある近江八幡で昼食をとったのだそうです。

たかが昼食とはいえ、一行五〇〇人をもてなすのですから大変なことです。そのときの献立や、一行がご飯を食べた神社やお寺の配置図等がいまに残されており、当時の家康の用意周到さや国際感覚を目の当たりにすることができます。

この接遇に要した費用は、全行程で当時の幕府直轄四〇〇万石の四分の一に当たる一〇〇万石相当の約一〇〇万両。現在の価値でいえば、約一〇〇〇億円とも言われます。

その事実を前にして、私はこう書きました。

「今も昔も朝鮮半島との関係は我が国の命運を左右するものであり、徳川家康の深い洞察に学ぶべき点は多いように思います」

近江八幡に残されている朝鮮通信使を歓待したエピソードは、江戸時代の日本がいかに隣国を大切にしていたか、リスペクトしていたか、という証です。

これに感動した私は、関係者のみなさんにこう呼びかけました。

――この近江八幡に残された日韓の歴史をもっと両国にPRして、近江八幡から新しい日韓関係を築いていきましょう！

ところがここでも周囲からの反応は「へーっ」、「ふーん」というものばかり。そんなものが地域活性化の鉱脈になるの？　と、みなさん半信半疑なのです。

こういう反応がもどかしいところです。地元の人にとっては当たり前のこと、既知のことでも、よそ者にとっては興味深いものであり、外交的には非常に価値のある歴史です。そういうところを逃さずにPRして、まちのブランドに繋げるセンス。これが求められているのです。

歴史マニアにはたまらない滋賀県

これにとどまらず、滋賀県には歴史好き、美術好きにはたまらない魅力があります。

まずは国宝や重要文化財の数。西川さんの番組でも語りましたが、一位の東京都、二位の京都府、三位の奈良県に次いで、なんと全国で四番目です。

次に、戦国時代の人気大名、石田三成や明智光秀、柴田勝家、浅井長政といった有名どころの居城跡が滋賀県エリア一帯にたくさんあること。こういう人気大名にはそれぞれの固定ファンがいますから、「この角度から石田三成が琵琶湖を眺めた」とか、「明智光秀がこの道を通った」といったエピソードが県内至るところに残っているというだけで、「滋賀県に行ってみたい」と思うはずです。

そして美術。神社・仏閣の数が多いだけあって、平安から江戸まで、あらゆる時代の書画・仏像などがあちこちに所蔵されています。

なのに修学旅行というと、私たちのような西日本の子どもたちは大阪・京都・奈良まで行って、そこでおしまい。関東の子どもたちも滋賀を通り越して、結局、京都・奈良・大阪に行ってしまう。それはすごくもったいないことだと思います。

滋賀県に住むみなさんが、もっと自分の地域の歴史や美術を発掘し、情報発信すれば、人を呼び込むことに直結できる。そんな地域は全国でもそう多くはありません。ぜひ、この方面に着目した観光振興も考えてほしいと、私は思います。

地方を見つめだしたきっかけは

地方に関してこのようなよもやま話をしていたら、共著者の神山典士氏から、「そんなふうに地方を優しい目で見るようになったのはいつからでしたか？」という質問を受けました。

改めて考えてみると、全国各地を足繁く回るようになったのは、二〇〇八年の麻生内閣で農林水産大臣を拝命したときからだと思います。それぞれの地方を訪ねて農業・林業・水産・漁業者たちと膝を交えて話し合いをすることで、大臣として正確なニーズがつかめたと思います。そのためにはその地域のことを知らないと話すら聞いてもらえない。だから一生懸命に地方を回って勉強しました。

それ以前に防衛大臣を務めていたときは、地方とのお付き合いはどうしても基地や駐屯地の所在地に限られ、それほど密ではありませんでした。

その後、自民党が下野して野党になったときには、政務調査会長になりました。このころは自民党と言うだけで石が飛んでくるようなありさまで、政権に戻るなど夢のまた夢、といった雰囲気でした。国民に見放された自民党をもう一度好きになっていただかないといけない、そのためにはまずこちらがうかがわなければ、ということで、足繁く地方を回るようになりました。そういう積み重ねから、二〇一五年に初代の地方創生担当大臣を拝命し、今日の活動に繋がっていると思っています。

最近では、地方創生の一石になればと始めた「ラーメン文化振興議員連盟」の会長を務めていることもあり、地方に講演や選挙応援などで伺うときは、必ずご当地ラーメンや近くのラーメン屋さんの名前を出すようにしています。

ご当地ラーメンや近所のラーメン屋さんの特徴、味、値段等々を盛り込んだ話をすると、地元のみなさんはとても喜んでくれます。やはりラーメンは庶民的だし、ご当地度が高いからでしょうか。地元のみなさんにとっても愛着があるのでしょう。ラーメンの味一つとっても、地方には驚くほどの多様性があって面白いし魅力的だなと思います。

大きな課題は、地方に蔓延している「もういいや」、「そんなことやってもどうせ」という諦め感をどう払拭《ふっしょく》するか。あと一歩、どうやって地方創生のムーブメントを前に進めるか。全国各地のお国自慢を、どう広めていくか。

もう一押しの工夫とアイデアを、これからも考えていきたいと思っています。

エピローグ――アフターコロナの地方創生

神山典士

「テレワークの先駆者」に選ばれた社員四〇名の企業

「アフターコロナの現状としては、今まで地方創生に対して様子見だった自治体が、コロナをチャンスとしてさまざまなアクションを起こして成功した他の自治体を手本にして、これを機会に企業誘致やインバウンド誘致をなんとかしたいという流れになってきています。コロナは鎮静化していますが、全国の自治体から弊社への相談や仕事の発注は増えております」

本書執筆と並行して取材を進めていた、全国各地でリモートワークを使っての仕事づくりを手がける「株式会社イマクリエ」の鈴木信吾代表から、そんなメールが届いた。

同社は、「地方創生担当部署」を設けて、全国の自治体からの「リモートワークによる仕事作りや企業誘致」の相談を受け、その課題を解決するビジネスを手がけている。二〇二二年一一月には、総務省が選定する「テレワーク先駆者百選、総務大臣賞」を、ソフトバンクやリコーといった大企業と並んで受賞したリモートワークの先端企業だ。

けれど二〇〇七年の設立当初は、地方創生とは全く縁がない、普通のテレマーケティングの会社だった。思いがけず二〇一一年の東日本大震災のときにリモートワークとの出会いがあり、いまではそれに特化して仕事の領域を「地方創生」に広げている。

鈴木氏がその間の経緯をこう語る。

「当時は渋谷にオフィスがあり、人を集めてコールセンターをやっていました。ところが震災後、余震も続いてスタッフが都心に出てこられなくなった。幸いテレマーケティングにはインターネット電話を使っていたので家でも電話できると考えて在宅のリモートワークにしてみました。すると仕事はスムーズに展開するし、出社する必要もない。そこから徐々に社内の仕事をリモートワークに切り替え、二〇一六年には完全にクライアントから受注する仕事をリモートワークで完結する会社にしたのです」

とはいえ、その後二〇二〇年に「あの騒動」が起きるまでの間、営業で「リモートワークでアウトソーシングを引き受けます」と言っても、おいそれと「お願いします」と言って仕事を発注してくれるクライアントはなかったという。社内スタッフとしてリモートワークで働く人を雇うために求人サイトで募集しようとしても、「家で仕事をしてお金をもらえるわけがない」と、サイトから掲載拒否にあうことすらあった。

その当時一般企業において、リモートワークが認められるのは福利厚生の範囲だった。

産休明けの女性や時短勤務の人たちのためだけの「在宅勤務＝リモートワーク」だったのだ。二〇一八年には「働き方改革法」が成立し（施行は一九年）、リモートワークという考えも徐々に広まってはいたけれど、まだまだマイナーな存在だった。

ところが二〇二〇年正月に、世界を揺るがした「あの騒動」がやってくる。言うまでもなく新型コロナウイルスの大流行だ。感染拡大を防ぐために人々には外出制限がかけられ、多くの企業で「リモートワーク」が採用された。

ここでイマクリエのリモートワークによるアウトソーシング事業は一気に拡大する。すでに約一〇年のアドバンテージがあったので、企業や自治体からその問い合わせが相次いだ。企業からは、「リモートワークを使ってアウトソーシングしたい。その人材を集めてほしい」、「リモートワークに関するセミナーを開いてほしい」等。自治体からは「住民にリモートワーク講座をやってほしい。地方に住んでいてもリモートワークで仕事ができれば人口流出が防げる」、「リモートワークの進展で地方進出を図る企業を紹介してほしい。企業誘致を進めたい」等。

その結果、現在のイマクリエは日々四〇〇人からのリモートワーカーがクライアントの仕事を担当して働くまでになった。この三年間では、毎年七〇〇〇人分以上のリモートワークをつくってきた。

その中でも顕著だったのは、地方自治体からの問い合わせの急増だった。それまでは民間企業からのオーダーに応えるのをメイン業務にしていたが、自治体とのやりとりが増えたことで鈴木氏は自分たちのビジネスに対する意識を変えた。

——リモートワークを使ったビジネスは単に働き方を変えるだけでなく、日本の最重要課題と言われる地方創生の解決策にもなるのではないか？

自治体の担当者と話すたびに、そんな思いが深まったのだ。

自治体の担当者は、口を揃えてこう言った。

「地方には仕事がないといって若者世代の流出が止まらない」、「地方にある仕事は若者が好む仕事ではない」等々。

そんな声を聞きながら、鈴木氏は考えた。

——地方創生は地方に仕事があることがポイントなのだから、リモートワークを使って地方に若者が好む仕事を創出すればいい。

そう確信した鈴木氏は、社内に「地方創生担当部署」を開設。リモートワークに関する案件を中心に、地方創生についてのあらゆるニーズを掬い取って解決策を提供するビジネスを始めた。そのための社内スタッフも、地方や海外在住者をリモートワーカーとして採用した。

その結果、周囲にはこんな声が溢れるようになった。

子育てしながら地元で働くという選択

「出産後、元の職場にパートとして復帰しましたが、子どもの病気などで急に休まないといけなくてプレッシャーを感じていました。そんな時リモートワークなら在宅でマイペースで仕事ができると聞いて、思い切ってリモートワークセミナーを受けてみたのです」（二〇代女性）

「子どもが生まれてから定年後にも働ける仕事がいいなと思って、「手に職探し」を始めました。リモートワークでの「パワーポイント講座」に参加したのもそんな理由からです」（三〇代女性）

冬には一メートルを超す雪深い長野県飯綱《いいづな》町から、そんな女性たちの声が聞こえてくる。平成一七年（二〇〇五年）に二村の合併によって誕生した飯綱町は、県内の他の自治体と比べても早いスピードで人口減少が進んでいる。地元にある仕事は農業や酪農がメインで、若者の多くは高校を卒業すると都心や長野市に出てしまう。ことに二〇歳〜三九歳世代の女性の減少に頭を悩ませてきた。

子育て中の女性を対象にアンケートをとると、「年間を通して安定した収入の仕事がほしい」、「子どもがいても働きやすい職場がほしい」という声が多く寄せられた。そこで平成二九年（二〇一七年）作成の「町の総合計画」の中に「女性が活躍できる地域環境の実現」と「働き方改革支援」が盛り込まれ、リモートワーク事業を進めるイマクリエに「リモートワークセミナー開催」の白羽の矢がたったのだ。

もちろん、地方で生活している女性たちにとって、いきなりリモートワークは敷居の高い働き方だ。イマクリエは地元長野県の企業と手を組んで、その敷居を低くするためのセミナーから始めた。

まずリモートワークに関するイベントを開き、リモートワークを採用しているクライアント企業の担当者にその働き方を語ってもらった。さらにイマクリエのスタッフとして働くリモートワーカーたち（鹿児島、宮崎、東京在住者）にもオンラインで参加してもらい、その体験談を語ってもらった。「はたしてリモートワークをテーマとするセミナーで人が集まるか？」と役場の担当者が不安がる中で、口コミでこのイベントの話は町内の女性たちに広まり、隣町の人や七〇代の高齢者も含めて、予想を超える参加があった。

さらにその後、具体的な仕事に合わせた講座も開催した。先に紹介した女性が語った「パワーポイント講座」は、「リモートワークによる企画書作成」という人気職種のスキルを学ぶためのものだ。鈴木氏はこう語る。

「どこに住んでいてもリモートワークなら地域格差なく働くことは可能です。でもそのためには、やはりリモートワークのスキルを身につけてもらうことが必要です。地方創生は地域が主役ですから、リモートワークのスキルを持つ人材を地域に育成するのが弊社の一つのゴールとなります」

自治体としては、市民にリモートワークのスキルを身につけてもらって、在宅ワーカーを増やして町外への人口流出を防ぎたい。市民は、リモートワークのスキルを身につけることで、地方に住みながらも安定した収入とやり甲斐のある仕事を獲得したい。

双方の思いが一致して、いまや飯綱町ではリモートワークを使って在宅で働く女性が年々増えている。もちろんその分だけ、人口流出も防げている。

まさに「地方創生」の取り組みが、着々と進んでいるのだ。

リモートワークで移住という選択

もう一人、リモートワークによって生き方・働き方を変えた事例を紹介しよう。

「現在の私の仕事は、朝五時半に起きて牛舎の掃除や餌やりをします。二五頭前後いる乳牛の乳をしぼるのは七時から八時半ころまで。その後リモートワークに取りかかり、昼寝などもして一六時から一九時ころまでまた牛の世話をして一日が終わります」

茨城県境町に、そう語る男性がいる。新井岳さんだ。

新井さんは二〇二二年の春までは、都内にある大手企業のハウスエージェンシーで働いていた。実家のある茨城県古河市から通っていたから、通勤時間は往復で三時間以上はかかっていた。

それがいまでは、酪農とリモートワークの二足の草鞋《わらじ》を履きながら、ほどよい田舎暮らしを楽しんでいる。境町で酪農を営んでいるのは、奥さんの実家の両親だ。義父は二代目、そのあとを継ぐ予定の新井さんは三代目の酪農家ということになる。

家から実家にある牛舎までは車で一〇分。通勤時間が減った分昼寝もできるし、肉体労働がほどよい運動となり食事も毎回家でとれるので、身体も引き締まってきた。体調も健康状態もよくなったという。

なぜ新井さんはこの道を選んだのか？　その理由をこう語る。

「妻と付き合っているころから妻の実家の酪農の後継者がいないことが話題になっていました。ぼくから見ると、立派な家業を誰も継がないのはもったいない。結婚するときに、ぼくが酪農をするのが一番いいんじゃないかと話したんです。

もちろん会社を辞めることになりますが、そのときにすでにイマクリエさんのリモートワークのことを知っていて、自分も在宅で働けばいい。会社を辞めてもビジネスマンとしてのキャリアはリモートワークで継続できるとわかっていました。だからリモートワークに背中を押されて、会社を辞めて境町に移住して酪農を継ぐことができたんです」

実は新井さんの前職の会社は、コロナ前からイマクリエとリモートワークでのアウトソーシングの契約を結び、何人ものリモートワーカーを使っていた。サラリーマン時代の新井さんは、その管理者として仕事を発注したり取りまとめたりするポジションだった。

その経験があったから、発言にもあったように、酪農×リモートワークへの決断も早かったのだ。

「リモートワークは働き手からすると場所を選ばず自分の仕事を続けられる利点がありま

す。発注側からすると、たとえば明日までにこの企画書を完成してほしいというときには、昼に発注すれば日本の夜の時間帯に働く海外のテレワーカーもいるので、翌朝までに仕事が完結するというメリットがあります。

ぼくの経験から言えば、リモートワークでも仕事の精度は全く問題ありません。リモートワーカーとは対面で話せない分、発注者側が、メールで仕事を依頼するときの精度を高めたり、丁寧な仕事をするように心がけたりすればいい。

ぼくは三〇代前半で退職しましたが、リモートワークでも会社時代のキャリアを引き継いでいると思っています。収入の面でも酪農をベースにリモートワークで補完することができます。サラリーマン時代の安定とは違いますが、酪農＋リモートワークで安定とモチベーションに繋がっています」

新井さんは前職では、親会社の広告プロモーションの仕事を担当していた。そのときはリモートワーカーも含めて部下やスタッフに指示して仕事を進めていたが、リモートワーカーとなったいまは、前職の経験を生かして自分一人で仕事を完結させている。さまざまなクライアントの企画書やプレスリリースを書く、メディアの広告枠の買い付けをする、記事出稿の手配をする等々。

イマクリエのプロジェクトマネージャーから仕事を振られると、自分で完結できるだけの仕事を受注して締め切りまでにこなす毎日だ。

もちろん日々激動の広告業界にいるわけだから、スキルアップは常に自分で心がけている。Webマーケティングのセミナーにオンラインで参加したり、数多ある媒体を観察したりして、リスキリングを心がける。今後はWeb解析士や統計会計士等の資格を取りたいと思っているという。新井さんが語る。

「リモートワークを始めたころは、仕事を受注しすぎて時間に追われて大変でした。一日三、四時間はリモートワークをしていたかな。牛の世話をしながらも企画書を考えたりもしましたが、牛にはフレックスがないので自分が追い込まれてしまって。でもだんだんと仕事のバランスがわかってきたので、いまはリモートワークは抑え目にしています」

東京駅へ一時間

境町は利根川と江戸川が分岐する地点にあり、埼玉県・茨城県・千葉県の接点にある。

鉄道の駅からは車で最低二〇分はかかるが、道路は圏央道が走りインターチェンジもある。まちがバス会社と契約していて、インターチェンジ近くのバス停から一日に何本も高速バスが東京駅まで走っている。所要時間約一時間。交通費は約一六〇〇円。バス停にはカーシェアリングやシェアバイクも用意されている。

新井さんも前職を退職するまでは何度もこのバスを使っていた。「東京駅発の終バスは二一時三〇分発でしたから、就業後の「ちょっと一杯」の楽しみもありました」と笑顔を見せる。

いま住んでいる家は、一戸建ての賃貸、駐車場二台つきで月額六万円。都内では考えられない値段だ。収入は多少下がったけれど、家と牛舎の往復でコンビニに行かないし飲みにも行かないので支出は減っているという。生活面での充実ぶりを、新井さんが言う。

「境町は子育て支援策も充実しています。新婚世帯への補助もあるし、第二子以降の保育料無償化や三～五歳までの給食費無償化補助など子育て支援も充実しています。移住者も求めていて、町営住宅に入居して二五年たてばその人の所有になる制度もあります。スポーツでのまちづくりも進めていて、町営の人工サーフィン場とかBMX（バイシクルモトクロス）パークもある。ぼくも空いた時間にジムに通い始めました。サラリーマン時代はフレックスもあって生活時間は不規則でしたが、いまは規則的で睡眠時間も増えています。お酒もあまり飲まなくなったので健康的な生活です。今後子どもができても、義理の両親が近くにいるので、子育ても安心です。いまのところ、移住生活には何の不満も不安もないですね」

周囲にリモートワークを勧める

境町での生活が二年目に入り、酪農とリモートワークのバランスもとれてきたことで、新井さんは周囲にもこの働き方のことを話すようになったという。

「ぼくの周囲にも、まだリモートワークはやっていないけれど、やろうと思えばそのスキルのある人、予備軍はたくさんいるはずです。農業大国茨城にあって、境町も一次産業は盛んです。けれど担い手となる若者や後継者が次々と都会に出てしまい、離農する農家も多いと聞きます。でもリモートワークのことを知れば、そういった担い手も地元に帰ってきやすくなったり、都会に出ずに地元に留まりやすくなると思います。ぼくもリクルーティングを始めようかな」

新井さんはそう言って笑った。

地方のプレイヤー×デジタル

飯綱町は、自治体として「女性が活躍できる町、女性が定住する町」を目指してリモートワークを採用した。新井さんは、個人として酪農とリモートワークのダブルワーク（複業）を選択して、生き方も働き方も大きく変えた。

実は飯綱町も新井さんの前職の会社も、コロナ前からリモートワークに取り組んでいたのだが、そのアドバンテージのお蔭でコロナをチャンスとすることができた。

リモートワークという新しい働き方を取り入れることができれば、自治体も個人も、地方というこれまではマイナスに語られていた舞台にいながらにして、望む方向に生き方・働き方をシフトすることができる。

そのことは、コロナという試練から私たちが学んだ、大きな財産だと言ってもいい。

岸田政権はデジタルの力を使った「デジタル田園都市構想」を政策の柱に掲げている。リモートワークもまさにその構想のメインコンテンツの一つ。イマクリエの鈴木氏が言うように、多くの自治体がそのことに目覚め、市民を巻き込んだ取り組みを続けていけば、アフターコロナの地方創生は、これまでにない進展を見せるはずだ。

さらに地方では、本書で記したような新しいタイプのプレイヤーの活躍が始まっている。デジタルの力と各地のプレイヤーの力がかみ合えば、地方創生は新しいラウンドに入っていくはずだ。

よく言われることだけれど、地方創生には正解もないしゴールもない。私たち一人一人がプレイヤーとなって、「我がまち」を愛し、その未来を切り拓くために、日々できる限りのことを続けていくしかない。

そうすることで生き甲斐が生まれ、働き方が変わり、生き方が変わる。

その総体を「地方創生」と言う。

次世代に託す日本の未来は、そこにかかっている。

あとがき

神山典士

私にとって「地方」は、ライターとして活動した約三五年間を振り返ると、常に取材執筆の主要な舞台だった。

フリーランスとなった一九九〇年代から、「財団法人地域創造」が発行する「地域創造」誌に声をかけてもらい、全国各地の文化活動をずっと取材し続けた。各地の文化活動が魅力的だったのはもちろんのこと、それだけでなく「地方の街の風情」に私は惹かれた。商店街は閑散としていても、夕暮れとともに暖簾《のれん》をくぐると地元の人たちがわいわいやっている。食べ物も飲み物も風景も文化も人間も、他にはない特徴があって忘れがたい。そんな大切な記憶が、三〇代のころから今日に至るまで、全国各地に残っている。

ところがその間地方の人口は減り続け、商店街は疲弊し、「このまちには何もない」という弱気な言葉ばかりが語られるようになった。私自身、大学時代は長野県松本市にお世話になりながら、卒業するときは当たり前のように「上り列車」に乗って東京に出てきたひとりだ。全く同類なのだが、本当に地方には生き残る術がないのか？　いや、そんなことはないはずだ。ではどうすれば――と考え始めたことがきっかけで、私は「下山の時代の仕事術」というルポを「サンデー毎日」に企画提出して連載（二〇一六年）を始めた。

瀬戸内国際芸術祭で蘇生する小豆島や、長野県小布施町で一人出版社を経営する人、地方で演劇教育を展開する平田オリザ氏などを「下り列車に乗った幸せ探しをする人々」というコンセプトで描き、その生き方を紹介した（『成功する里山ビジネス』角川新書、二〇一七年）。

振り返ればちょうどそのころは、石破茂氏が初代地方創生大臣となり、日本の「地方創生」が本格化していたときだった。各地で聞こえてきた、「石破先生が我がまちを視察してくれた」、「石破先生が応援してくれている」という人々の声が、脳裏に残っている。

二〇一八年からは、故郷埼玉県川越市の盟友笠原喜雄氏率いるアースシグナル社発行の『地方の課題解決誌・ESジャーナル』を責任編集した。アース社は若い企業だが、ソーラーシェアリングや空き家のリノベーションなどを行って、次々と「地域の課題解決型ビジネス」を展開していた。彼らとともに、過疎、空き家、農業、再生可能エネルギー等、地方の根深い課題に立ち向かう若きプレイヤーたちの姿を発掘し、報じ続けた。

この流れを大切にしなければ――、と思っていた矢先にやってきたのがコロナだった。

このとき、人々の意識が東京一極集中から地方分散へと変わり始めた。毎日は無理だが月に数度なら都心に通えるエリアへの移住。リモートワークを使った転職なき移住や二拠点生活。それらがやっと現実味を伴って語られ始めたのだ。

これはチャンスだ!! 私はそう直感し、自分もプレイヤーとなって「地方」の胎動を報じていこうと考え、都心から一・五時間圏にある埼玉県のときがわ町で出会った7LDKの立派な日本家屋を借りて活動拠点とした。都会と田舎の両方の魅力を持つエリアという意味で、すでに使われていた「トカイナカ」という言葉を借りてこの家を「トカイナカハウス」と命名。同時にジャーナリストとして、このエリアの「我がまち」の魅力探しとその情報発信に着手した。

まずは生まれ故郷の入間市では、大正時代にこの地で生まれた「豊岡大学」という生涯学習活動の歴史にフォーカスした。同市ですでに活動していた市民の方々がつくった「豊岡大学プロジェクト」に参加。その歴史を学びながら、同プロジェクトが編纂した『豊岡大学ものがたり』に寄稿したりした。

ときがわ町を含めた比企郡に光が当たったのは二〇二二年のことだった。NHK大河ドラマ「鎌倉殿の13人」で、比企郡ゆかりの比企氏が重要人物として登場。私は周辺自治体がつくった「推進協議会」に参画し活動した。さらに地域のインフラである東武鉄道にも声をかけ、「東武鉄道に乗って鎌倉殿の里、比企郡へ」というパンフレットを編纂し、東武東上線各駅で配布して比企郡の魅力発信に務めた。

さらに川越市では、同市が年間観光客七七五万人（コロナ前）も集まる観光都市になった歴史に着目した。地元の高校生を中心に、大人たちもサポーターとして参加する「観光都市川越七七五万人物語・高校生プロジェクト」を立ち上げて、約一年半に渡るワークショップを開催。川越の魅力を高校生に取材執筆してもらい、一冊の分厚い冊子に編纂した。

かつて江戸日本橋にあった蔵のまちを模してつくられた川越市一番街に残る蔵のまち。あるいは江戸三大祭に使われた山車の伝統を引き継ぐ川越祭の山車。それらはすでに東京（江戸）にはなく、川越に行かないと見られない。

その蔵のまちをつくったのは織物業界の大旦那たちだった。明治期には、極細の木綿糸を使って川越唐桟《かわごえとうざん》という人気商品を産み、当時のインフルエンサー歌舞伎役者に着せて全国に流行らせた。そしてその織物の技術を学ぶための学校をつくる女性が登場し、川越は早くから女性教育のまちでもあった。

高校生たちが書いたレポートからは、そんな川越のダイナミックな魅力が立ち上る。人々を惹きつける観光都市になった歴史の綾が見えてきて、今日に繋がる川越の魅力に納得できる一冊となった。

トカイナカエリアでこんな活動を展開していると、それまでとは逆の「下り列車」に乗る日々が続いた。この視点移動によって新しい風景が見えてきた。

「都市生活者は好きと嫌いのスイッチをオフにしている」。そう語った人がいた。確かに毎日の通勤電車も狭い家も高い家賃と生活費も、「嫌だ」と本音を言い出したら都市生活は成立しない。私もこれまでは、そのスイッチをオフにしていたのだ。けれど人間性を取り戻すにはこのスイッチをオンにするしかない。するとどうなるか――。

「東京一極集中は、日本政府の政策によってつくられた」。

そう語ったのは石破茂氏だった。確かに明治期の富国強兵、戦後の復興、一九五〇年代以降の高度経済成長。どの時代も人・モノ・金・情報を一度中央に集めて地方に振りまくこの国のやり方は大きな成果をあげた。当時は人口が増え経済は成長していたからそれでよかったのだ。けれど人口減少・経済疲弊の現在、同じやり方は通用しない。一極集中を逆流させ、人々を地方に分散させる「政策」が必要なのだ。

ところが、政治からはそんな大胆な政策転換は生まれない。ならば私たち庶民の叡知を集めてこの国をつくり替える流れを育まなければ。そのプレイヤーはどこにいる、という視点で取材を重ねた結果が、二〇二二年上梓の『トカイナカに生きる』（文春新書）と本書になった。

今後日本と日本人は、約一世紀かけて人口減少・地方衰退という下り坂を転げ落ちながらこの過酷な課題と対峙しなければならない。人口が三〇〇〇万〜五〇〇〇万人で安定するまでは、しんどい日々が続く。そのとき、世界の中で日本はいかに存在し、どう評価されるのか。そのとき誰かがその経過を報じるはずだが、せめて本書が、人口減少初期の日本人の動向を示す一つの資料になってくれたら、と、密かに願っている。

※

本書の企画取材執筆に際して、初出となる連載記事「地方創生へ」を書かせていただいた『月刊テーミス』編集主幹伊藤寿男氏と担当編集者金森清久氏に深く感謝いたします。同誌での連載（二〇二二年一月号〜二三年五月号まで）がなければ、今回のこの企画は成立しませんでした。お世話になりました。ありがとうございました。

また、共著者として貴重なコメントをいただいた衆議院議員・石破茂氏にも深く感謝をいたします。初代地方創生大臣時代から今日まで、足繁く地方に通い、その実情をつぶさに見ている氏の「視点」が今回の企画のキモとなりました。今後も「地方創生」を議員活動の一つの柱として、ご活躍されることを心から祈っております。

ときがわ町トカイナカハウスの関係者のみなさんにも感謝いたします。ときがわ町と比企郡周辺でのさまざまな取り組みから本書は生まれてきました。

最後になりますが、取材でお世話になりました全てのみなさまに感謝いたします。ありがとうございました。

二〇二三年　盛夏

神山典士

【著者】

石破茂（いしば しげる）
1957年鳥取県生まれ。慶應義塾大学法学部卒。86年衆議院議員に全国最年少で初当選。防衛大臣、農林水産大臣、地方創生担当大臣、国家戦略特別区域担当大臣などを歴任。著書に『国防』『国難』（以上、新潮文庫）、『日本列島創生論』『政策至上主義』『異論正論』（以上、新潮新書）など多数。

神山典士（こうやま のりお）
ノンフィクション作家。1960年埼玉県生まれ。信州大学人文学部卒。96年『ライオンの夢』（小学館）で第3回小学館ノンフィクション大賞優秀賞、2014年「佐村河内事件報道」で第45回大宅壮一ノンフィクション大賞（雑誌部門）受賞。著書に『トカイナカに生きる』（文春新書）、『知られざる北斎』（幻冬舎）、『海渡る北斎』（近刊、冨山房インターナショナル）など多数。

平　凡　社　新　書　1　0　3　5

「我がまち」からの地方創生
分散型社会の生き方改革

発行日———2023年 8 月10日　初版第 1 刷
　　　　　2024年10月16日　初版第 2 刷

著者————石破茂・神山典士

発行者———下中順平

発行所———株式会社平凡社
〒101-0051 東京都千代田区神田神保町3-29
電話 （03）3230-6580［編集］
（03）3230-6573［営業］

印刷・製本—株式会社東京印書館

装幀————菊地信義

ISBN978-4-582-86035-1
平凡社ホームページ　https://www.heibonsha.co.jp/

平凡社新書　好評既刊！

250
組織に頼らず生きる
人生を切り拓く7つのキーワード
小杉俊哉
神山典士
もう企業は守ってくれない。「自立の時代」を切り拓く指針を示す。

316
田舎で暮らす！
田中淳夫
成功の秘訣はこれだ！　失敗例も含め事例を紹介し、移住のための方法を教える。

366
地域再生　まちづくりの知恵
古都・鎌倉からの発信
福澤健次
鎌倉の都市保存運動に関わる建築家が伝える実践的まちづくりの方法。

689
コミュニティを再考する
伊豫谷登士翁
齋藤純一
吉原直樹
政治、経済、社会学の側面から、現代の重要キーワード、コミュニティを読み解く。

701
わが街再生
コミュニティ文化の新潮流
鈴木嘉一
わが街のラジオ、芝居小屋復興、ロケ隊誘致……。文化を地域再生に繋げる動き。

772
ゴーストライター論
神山典士
佐村河内事件をスクープした大宅賞作家が描く、知られざる「職人技」の世界。

773
天空の城を行く
これだけは見ておきたい日本の山城50
小和田泰経
全国各地の山城の歴史と見どころが満載。各城の全貌がわかるイラストマップ付き。

829
企業家精神とは何か
シュンペーターを超えて
根井雅弘
経済学の歴史に埋もれた企業家精神に、いま、改めてスポットを当てる。